我的好妈妈，我读着您纸短情长的家书，
哭了，因为我在沙漠里呼唤了您的名字。
我对所有人的背离，曾经盛怒难却，
他们竟无声无息，于是我呼唤着妈妈。

亲爱的妈妈，

请您坐在一棵开满花的苹果树下……

请代替我好好环顾您的四周。

景色应该翠绿可人，芳草遍地。

教我什么叫做浩瀚的，不是银河，不是飞行，
也不是海洋，而是在您房里的另一张床。

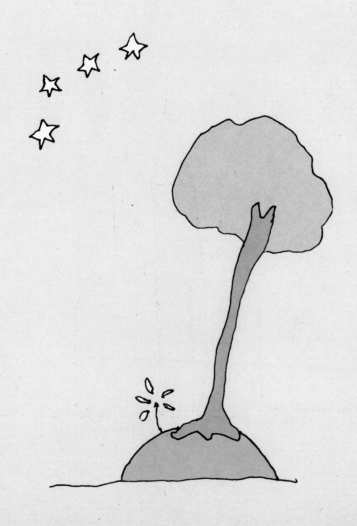

一个肖邦的音符，一句沙曼的诗，
一本弗拉马希翁的精装书，
和平大道上的一颗钻石，
还有……在我的忧郁褪色以后，
我想到了沙曼的一句诗：
发现你像一个新世界那样年轻而纯净。

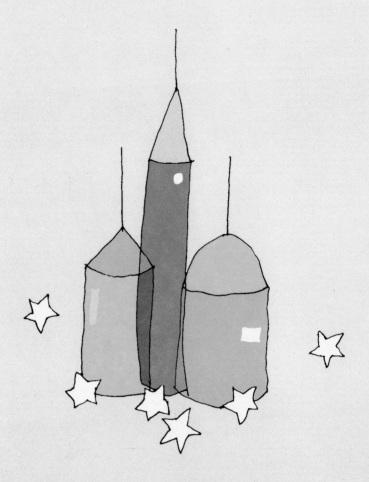

小王子
写给妈妈的信

[法] 安东·德·圣埃克苏佩里 著

王书芬 译

人民文学出版社

图书在版编目(CIP)数据

小王子写给妈妈的信/(法)圣埃克苏佩里著;王书芬
译.—北京:人民文学出版社,2008.7
ISBN 978-7-02-006764-0

Ⅰ.小… Ⅱ.①圣…②王… Ⅲ.圣埃克苏佩里
(1900~1944)-书信集 Ⅳ.K835.655.6

中国版本图书馆 CIP 数据核字(2008)第 084642 号

责任编辑　马爱农
特约策划　吴文娟
装帧设计　高静芳
绘　　图　鬼才木木
　　　　　杨　芹

小王子写给妈妈的信
Xiao Wang Zi Xie Gei Ma Ma De Xin

(法)安东·德·圣埃克苏佩里　著
王书芬　译

人民文学出版社出版
http://www.rw-cn.com
北京市朝内大街 166 号　邮编 100705
山东新华印刷厂德州厂印刷　新华书店经销
字数 144 千字　开本 890×1240 毫米　1/32　印张 6.25　插页 5
2008 年 7 月北京第 1 版　2008 年 7 月第 1 次印刷
印数 1—10 000
ISBN 978-7-02-006764-0
定价　18.00 元

飞行或写作，

对我来说，

都是同一件事。

——安东·德·圣埃克苏佩里

导读：抚慰渴望与不安的灵魂 　陈丰伟

　　写这篇文章前，传来发现圣埃克苏佩里死前所驾驶飞机残骸的消息，又兴起一阵《小王子》热。杂志上圣埃克苏佩里的身影，是略微富态的飞行员。书里的小王子，纯情真诚令人动容。但真实世界的圣埃克苏佩里，同时周旋在复数的情人之间，却还能对着妻子写出感人的情书，以她作为《小王子》中"玫瑰"的原型。

　　我从来不是《小王子》的书迷，也没有追索过关于圣埃克苏佩里的几本传记书。但，从《小王子写给妈妈的信》里追索圣埃克苏佩里，却让我有真挚、真实的感觉。我从信里看到的圣埃克苏佩里，和写《小王子》的圣埃克苏佩里、在天空翱翔的圣埃克苏佩里、有着纷乱感情关系的圣埃克苏佩里、机身旁发福的圣埃克苏佩里，有着纯粹的一致灵魂：一个不断骚动、饥渴，却又写着止人饥渴文章的灵魂。

　　从中学时代略为简短的书信，我们就能看到这样一个渴求慰藉、文采洋溢、感情丰富的灵魂，在圣埃克苏佩里心里成长。在二十一岁时，圣埃克苏佩里的书信，就已经是一篇篇动人的散文，如第三十七封信里的：

　　　　说到我，当我遇着一棵矮树，总会抓下几片叶子，塞进我的口袋，回到寝室后，我爱怜地注视它们，轻柔地翻转它们。我能从中得到慰藉。我想再望向故乡，那里处处都是绿意。

　　　　我的好妈妈，您无法了解一片素净的草能多么地柔和人心，但您

1

更无法了解一架留声机竟可以让人伤心欲绝。

是啊，留声机正在转，我向您保证每一首老曲子听了都教人难过。它们太轻、太柔，我们过去在故乡太常听这些调儿。再听到时，却如着魔般挥之不去……

作家的纤细与敏感，跃然纸上。这又揭示着：成为一位优秀的作家前，必然已先蕴藏着属于作家的灵魂。而这样的灵魂往往充斥着渴望与不安。渴望与不安才是作家最根本的动力。

一直存在于圣埃克苏佩里书信里的，是对母亲的渴望、不安、孺慕。圣埃克苏佩里在母亲面前仿佛是永远需要照顾的小孩。四岁丧父的圣埃克苏佩里，在心灵上和母亲形成紧密的依附关系。在经济上，圣埃克苏佩里在离开学校后仍常依赖母亲的接济。从书信集里，我们看到圣埃克苏佩里不断要求母亲回信，总是担心母亲的反应。圣埃克苏佩里的母亲恍如圣母的角色，必须不断聆听儿子的祈祷、渴求与喃喃细语。书信里不断出现着圣埃克苏佩里要找个好妻子的说法，但他向母亲提了许多次，却一直没有实现。最后他终于结婚了，可是当他在沙漠中失事，历经危难才回到文明社会时，还是写着：

我回来有一点是为了康绥萝，但我是靠着妈妈您才回来的。纤弱如您，您简直就像守护天使，坚强、聪慧、盈满祝福；夜里一个人的时候，我都向您祈祷，您可知道？

在同一封信，他写着：

我的好妈妈，我读着您纸短情长的家书，哭了，因为我在沙漠里呼唤了您的名字。我对所有人的背离，曾经盛怒难却，他们竟无声无息，于是我呼唤着妈妈。

男人心灵与母亲角色的纠缠，并不少见。特别的是，圣埃克苏佩里敏锐到能清晰写出他心灵与母亲的纠缠。我们不知道圣—艾修伯里的童年发生了什么事，但可推测的是，他投射到母亲角色上的渴望与不安，是我们了解圣埃克苏佩里的关键。为什么他陶醉于一个人翱翔在天际？为什么他和女性无法形成稳定的关系，却又有着深深的爱慕？书信集里的渴望与不安，已带给我们言语难以形容，但敏锐的读者可由心里感应的线索。

圣埃克苏佩里不断对母亲喃喃自语，看来他常常得不到想要的回应。母亲整理圣埃克苏佩里给她的书信，但这隐遁一旁、没有出声的母亲角色，到底怎么看待儿子的来信？她怎么回应？她怎么处理圣埃克苏佩里遇到的人生问题？书信集里看不到的真实母亲角色，同样耐人寻味。

婚后的圣埃克苏佩里，写给母亲的书信似乎大量变少了，但康绥萝显然无法取代他想像中的母亲角色，婚变、工作的变化以及战争，都冲击着圣埃克苏佩里。一九四○年，处在战争中的圣埃克苏佩里，留下一段让笔者同感悲怀的话：

> 我很不满足，我的心需要其他活动。我现在工作得很不开心。冒险犯难的生活，还不足以按捺我心中那份深重的自我意识。惟一能沁我心脾的清泉，是几桩童年的回忆：圣诞节晚上蜡烛的气味。今天如此荒芜的是灵魂，人们极度饥渴。

　　我可以写，我也有时间，但是我还不知道该怎么写，我的书在我脑子里还没有酝酿成熟。一本"给人止渴"的书。

　　再见了，我的好妈妈，我用我全身的力气将您紧拥在怀里。

　　是的，我们看到一个饥渴与不安的灵魂，在书信集里，在他的作品里，用文字抚慰着自己，也抚慰着天底下千千万万饥渴与不安的灵魂。他的人生或许是失败的，他心里或许还住着一位长不大的小孩，他找不到一个可以长期稳定认同的人或目标，甚至他的坠机，也有人认为是自杀。但，圣埃克苏佩里也写出了千千万万创作者渴望与不安的灵魂，带给以千万计的读者心灵的平静。

　　看完这本书，也许你会很快忘记里面的细节，但你不会忘记来自一颗诚挚心灵的细语与呼喊。

（本文作者为作家、精神科医生）

关于作者

安东·德·圣埃克苏佩里，一九〇〇年出生于法国中部大城市里昂，父亲来自里摩日（Limoges），母亲来自普罗旺斯。

安东有两个姐姐（玛莉—玛德莲①、希濛娜），一个弟弟（方索）及妹妹（嘉碧耶勒）。但安东四岁失怙，大姐玛莉—玛德莲及弟弟方索②也都于相当年轻时便夭折，使得他很早就知道死亡的冷酷与无情。

安东从小便由端庄贤淑、思想开通的母亲一手带大，在人生的路上助他排难解忧，因此，他与母亲之间，有着相当亲密的感情。

中学时期，安东分别通过巴黎（一九一六年）与里昂（一九一七年）的高中会考后，开始准备海军学校的入学考试；但他考试失利，改变心意入伍学飞，于一九二一年获得空军的许可，入史特拉斯堡空军第二兵团服役，后来终于成为法国首批飞行员之一。此后的飞行生活，与安东的写作生涯有着密不可分的关系。

一九二六年，安东进入航空公司服务，成为土鲁斯—达卡航线的驾驶员；一九二七年，安东接受派任为朱比角航线站长；一九二九年，受命为"阿根廷空中邮递"的总经理。

一九三一年三月，邮政航空公司解散，安东失去了最热爱的飞行生

---

① 玛莉—玛德莲·德·圣埃克苏佩里（小名米玛）罹患急症，于一九二六年病逝。

② 一九一七年，方索·德·圣埃克苏佩里，罹患风湿性关节炎，于当年七月十日病逝于圣莫里斯。

活,手头拮据。同年四月,安东迎娶了他在布宜诺斯艾利斯认识的康绥萝。她原是阿根廷记者兼作家高曼·加利略的遗孀,充满异国风情,风采迷人,却极度追求品味且奢华成性,夫妻俩的经济状况非常困顿。

第二次世界大战初期,安东因政治立场的关系,逃亡至美国,但只感受到美国人不信任的眼光及旅美法侨的责难。此时,备受孤寂折磨的安东,只好专心埋首于写作。后来,安东和美国人一起登陆非洲,并在一个广播节目中呼吁法国同胞团结一致,不要再分党结派。

笔战打倦了,他频频提出申请,终于在一九四三年重返法国入伍。隔年七月三十一日,他在一次飞行任务中失踪。备受读者喜爱的安东·德·圣埃克苏佩里,就这样在地球上永远消失了身影。

安东·德·圣埃克苏佩里的作品:

《南方邮递》,一九三〇年出版,描写一个邮政飞机驾驶员殉职的故事。写作手法深受法国作家纪德(Gide)的影响。

《夜航》,一九三一年出版,歌颂飞行员开拓新航线的精神及光辉事迹,完成于阿根廷,获法国"费米纳奖"。

《人的土地》,一九三九年出版,记录作者本人身为飞行员的各种奇遇,赞扬人类之间的团结与友谊。这本书为他赢得"法兰西学院奖"的荣耀。

《战争飞行员》,一九四二年出版,完稿于纽约,描写他自己在一次飞行中克服万难,顺利返航的经过。他希望藉由这本书为法国平反,要美国人刮目相看。

《小王子》,一九四三年于纽约发行,是他最受欢迎的作品。一九三五年十二月二十九日,作者在一次巴黎—西贡的长途飞行中,坠落于利比亚沙漠,数日后才被人发现。这一次飞机失事的经验,酝酿了《小王子》的故事背景。

《要塞》，是作者未完成的作品，包含许多笔记及手札，也可说是他的心情纪录。

圣埃克苏佩里的文笔简单真实，质朴无华，早期的作品大多是描写飞行员的生活。然而，他的作品虽常以飞行生活为主题，却极富人文色彩，而这个特色多半来自于他的实际经验。

他的写作虽设定于描述一种个人的经验，却包含了许多足以吸引众人目光的元素：除了亲身的经历之外，他的小说总是带有"超越自我"、"坚定毅力"的概念，同时并富有"博爱"的精神。以极富诗意的寓言写成的《小王子》一书，便是如此的一部代表作。书中小王子与狐狸相遇的那一幕，主角天真无邪的问答，深深地震撼着千万读者的心灵：

> 原本狐狸对麦子并没有特别的感觉，但金发的小王子将它驯服之后，每当看见金黄色的小麦，它就会想起他来。从此之后，它就爱上了吹过麦田的风声……

藉由这样的场景，圣埃克苏佩里传达了一个他认为相当重要的概念——在人类的世界当中，友谊是不可或缺的，因为它可使人忘却生活中的单调，使人生变得更多采多姿。

关于本书

众所周知，安东·德·圣埃克苏佩里在《小王子》一书描绘的小王子，其实就是他本人的化身，而妻子康绥萝，则是他心中的那朵玫瑰。

目前圣埃克苏佩里的相关著作，讨论的大多是他本人的作品、飞行生涯或感情生活，对于他与母亲之间的互动关系，则甚少着墨。

这本《小王子写给妈妈的信》，搜罗了他从十岁开始，陆续写给母亲玛利亚·德·圣埃克苏佩里的一百封家书，使读者有机会走入他的生活，了解他从少年、成年，及至后来飞机失事之前，从未停止过的，对母亲的无限依恋。

由于圣埃克苏佩里在家书里皆以"安东"署名，因此我们在以下的说明里，也直呼他安东。

一九一〇年，安东年方十岁，是勒芒地方圣十字圣母中学的寄宿生，周末才能回家，他的母亲当时则住在遥远的圣莫里斯。从此之后的三十几年，安东便养成经常给母亲写信的习惯：他虽寄宿在外，心神却时常飘回母亲的身旁，渴望和她讨论生活琐事及童年回忆。日后，每当他遭到诸多挑战、遇上种种挫折时，最先想到的，便是母亲那温暖的臂弯。母亲是他安详的泉源。

一百封书信当中，大多数原本就未注明写作的时间、地点，本书皆保留其原貌，但书信的排列，大体上皆按照时间的先后顺序。正因为原稿是作者的家书，信中难免会有语焉不详或文句不完整的地方（正如我们一般人都会犯的笔误），所以，我们在编辑的过程，已先行删掉少数晦涩难懂的部分。另外，为帮助读者理解本书，我们也尽可能在不妨碍阅读的情况之下，加入了一些注解，并整理出一份中法人名对照表。

全书依照作者的成长过程，分为四个篇章：

一、寄宿生活（一九一〇年至一九一九年）

二、入伍学飞（一九二〇年至一九二六年）

三、从"土鲁斯—达卡航线"展开的飞行生涯（一九二七年至一九三〇年）

四、蓝色时代（一九三一年至一九四四年）

藉由安东写给母亲的这一百封家书，读者可依序进入他的少年时代、飞行生涯及成家立业后的时期，窥见他与母亲之间的情感交流，了解飞行这件事情如何影响了他的写作。

今年（二〇〇八年）适逢作者飞机失事六十四周年。仅以此书的出版，对这位全球最受喜爱的作家之一——安东·德·圣埃克苏佩里，致以最高敬意。①

---

① 本书搜罗的信件内容皆属公共领域，注解及其他相关资料则为编辑所加。

目 录

第一篇　寄宿生活

十岁至十九岁的安东

一九一〇年，

安东年方十岁，

是勒芒地方圣十字圣母中学的寄宿生，

周末才能回家。

从这时候开始，

安东养成了经常给母亲写信的习惯。

第一封

我亲爱的妈妈，

我做了一支自来水笔。我正用它给您写信。它很好写。明天是我的主保日①。厄玛努舅舅说过要送我一只手表当礼物。所以您可不可以写信告诉他明天是我的主保日？星期四要到橡树圣母院朝圣。我会跟学校去。天气很不好。一直下雨。我做了一张漂亮的小桌子，把人家给我的礼物，整整齐齐地放上去。

再会。

挚爱的妈妈我好想见到您。

安东

---

① 同名圣人的纪念日。

第二封

我亲爱的妈妈,

我好想再见到您。

阿娜伊丝姑妈要在这里待一个月。

今天,我跟皮耶侯一起去一个圣十字中学的同学家。我们在他家吃了点心,玩得很高兴。今天早上在学校领过圣体。我现在要跟您说我们去朝圣的经过:七点四十五分在学校集合。大家排好队伍,往车站出发。到了车站,我们搭往萨伯雷的火车。到了萨伯雷,我们坐上马车。马车驶往夏恩圣母院,每一辆马车都载着超过五十二个人,只有中学生,车顶、车里都是。马车车身很长,每辆都由两匹马来拉。我们在车上玩得很高兴。一共有五辆马车,两辆载弥撒侍童,三辆载中学生。到了夏恩圣母院,我们做了弥撒,然后在那里吃午餐。七、八、九、十年级的学生,和护理学校的学生一样,坐马车离开,要去索连姆,我因为不想坐马车去,就请学校准许我和一、二年级的学生一起走路过去。我们的队伍共两百多人,有一整条街那么长。午餐过后,我们去参观一处模仿圣墓的地方,再到圣物店买东西。然后,我和一、二年级的学生再走路到索连姆。

到了索连姆,我们继续走路,经过修道院旁。修道院很大,可是我们没能参观,因为时间不够。在修道院旁我们发现很多大理石块。有大的也有小的。我捡了六块,又给了别人三块,有一块大概有一米半到两米那么长,同学还要我装进袋子里。可是我连搬都搬不动,它太大了。然后我们到了索连姆,在草地上吃点心。

我给您写了八页信。

然后我们去参加圣体降福,之后排队准备到车站去。到了车站,我们坐上回勒芒的火车,八点到家。主日学考试我是第五名。

再会了我亲爱的妈妈。我衷心跟您吻别。

安东

第 三 封

富希堡,圣若望中学,一九一六年二月二十一日

挚爱的妈妈,

方索刚接到您的信,信上说您三月初才来!本来我们好高兴这星期六要跟您见面的!

为什么您要延后呢?如果您来,我们会有多高兴啊!

您收到我们这封信时,应该是星期四,或是星期五。您能不能赶快拍电报说您要来?您要是星期六早上坐快车,晚上就可以到富希堡,我们会很高兴的!

您延到三月初才来,让我们好失望!您为什么会想要延后?

我们多希望您能来!您若不来,我们有多难过!即使您真的不来了,能不能也在一收到我们的信以后,就立刻拍电报告诉我们,让我们最迟在星期五晚上得到您的回音,这样我们好安排星期天的时间?可是您当然要来的!

再见,挚爱的妈妈,我衷心与您吻别,着急地等待您。

尊敬您的儿子,安东

另,您一收到信,就请赶快拍电报给我们,才不会让我们浪费了星期天。最迟星期五晚上要给我们回音!

第四封

富希堡，圣若望中学，一九一七年五月十八日星期五

我亲爱的妈妈，

天气好得不得了。只是昨天下了雨，之前我很少见过下雨的！我见到彭维夫人，她告诉我方索的病。他好可怜①！她也跟我说高中会考的事都办妥了，让我可以放心。不过其实您不用写信到巴黎问我的资料是否已经寄出，因为我之前已经写信问过了，只要先将资料寄到的时间通知里昂就可以了，这我倒是忘了做。总之事情都完成了……

昨天我们和夏赫若一起去散步。我们三个加他（所以是：$3＋1＝4$）。

我们在圣神降临节那一周，到离律森纳再远一点的地方，作期末避静。

再见挚爱的妈妈，我衷心向您吻别。

尊敬您的儿子，安东

---

① 安东的弟弟方索罹患风湿性关节炎，于两个月后病逝。

第 五 封

我挚爱的妈妈，

　　我一直都很兴奋。我犹如黑奴劈柴般地努力。今天早上上作文课。请您每天给我写信，我会很高兴，让我觉得和您好接近。

　　我见过神甫了。他认识爸爸，和爸爸是圣十字中学的同班同学。天气很好，而且现在我们有暖气。我什么都不缺，就只缺邮票，请您寄二十张给我。

　　我深爱的妈妈，我要停笔了。向您深情吻别。

尊敬您的儿子，安东

第 六 封

我亲爱的妈妈，

我只有跟您说一、两句话的时间。请每天写信给我，这样我会好高兴！叫濛濛把我的相簿和她的照片寄给我。我把我的相簿忘在濛濛的房间里了。（是我的相簿，不是文件夹。）

我们还是决定下课时要玩耍。刚刚才和工科预备生（准备报考巴黎综合工科学校的学生）打完棍仗，比数是九比〇。

这次我们特别委屈自己，和他们一同较量，好让他们知道我们的实力。说到要让工艺预备生（准备报考中央高等工艺制造学校的学生）加入其中一方的阵列，我们两方都不同意（有一个阵列人比较少，要几个家伙补缺），于是放弃了这个想法。海军预备生和工科预备生（理所当然）讨厌工艺预备生，工艺预备生和海事预备生讨厌工科预备生，工科预备生和工艺预备生也讨厌海事预备生，大家互相看不顺眼。

要和工科预备生对打还可以，但在自己的阵列可不能有仇人。

最没用的是军事专校预备生，从来没听人说过他们的事。我们是最团结的，然后分别是工科预备生和工艺预备生。

我在这里遇到一个从圣若望中学来的人，叫贝格，今天在走廊上，他走过来和我说话，再碰面觉得有点怪。

我很好。我星期天领过圣体。

帕杰先生给我们讲了一小段话，他说："谁要是觉得自己的胃不够强，不能吸收科伦先生和我将给你们端上的数学点心，最好现在就离开。如果你们喜欢数学,那一定会大为满足!我跟你们保证。"课上得又多又快,我一直都跟得上,觉得很骄傲。应该没问题,请您不用担心。

我温柔地向您吻别。

爱您的儿子,安东

工艺预备生才是我们的大敌。我们可瞧不起他们。"工程师"是让人瞧不起的职业,而且还如同濛濛说的,是个"反海军"的职业。

另:给我做些巧克力圆糖,寄一些这样的东西给我,多一点,可以让我的胃舒服。

我不喜欢波苏妈妈的油炸酥饼,尽管她做得尽心尽力:我喜欢真正的糕点,比如蛋白杏仁甜饼、巧克力圆糖(里面不要有夹心!!!)和糖果。

您现在都知道了。

安东提议,家里安排。

请快安排,用糖果带给我活力。

第 七 封

挚爱的妈妈，

我终于找到一点时间给您写信。我刚刚考完数学模拟考试，得了十分①，对我来说算不错了……

辛纳狄一家在巴黎。他们邀我共度周日，可是我要留校（留校的意思是不出校门，除此之外时间自由运用）。因为有很多功课要做，我还不太讨厌留校。

圣路易中学环境很好，不过，同样做错事，在这里要留校十二小时，而在别的学校只要关禁闭五分钟。但是如果能逆来顺受的话，就没什么要紧了。

我一直都很兴奋，很高兴，快乐得不得了，若还有您在身边，我等于上了三重天。请多写信给我，您的信就是您的一部分。

我们布置了我们的自修室和教室，挂上巨幅的战舰和各种邮轮的画报。其实我们就是因为偷偷到自修室，在爬上登高架钉海报时当场被抓，才被罚留校十二小时（非自修时间不得进自修室）。我现在要向您叙述我对这里的纪律印象如何。

一、有关宿舍风气糟糕的传言，都不是真的；我来这里一个月了，一切都好得无话可说。

二、就宗教信仰而言，这里有信仰的人远比教会学校来得少，但是说

---

① 在法国，满分为二十分。

也奇怪,对人的尊重却多出许多。自修时间坐在我旁边的人,偶尔会读弥撒手册中的默想文章,坐在他旁边的那人不信什么宗教,看到了,连想笑的念头都没有。如果我高兴,也可以读沙列斯给我的《圣经》,别人一点也不会在意。没有信仰的人完全尊重别人的信仰。绝对听不到在别的学校里:"这些玩笑你全相信?"诸如此类的话。这里的学生只会问:"你是天主教教友吗?""我是。你呢?""我不是。"不是的人不会笑是的人。这一点真是太棒了。可以这么说:这里没有宗教信仰的人,尊重有宗教信仰的人,并尊重他们的信仰。

三、在外面的纪律:的确有人会到市区通宵达旦,可是他们也尊重其他循规蹈矩的人,并且佩服他们的自制力。

总之,这里有信仰的人和循规蹈矩的人比教会学校的少,但却比较认真。教会学校里有信仰的人,乖巧顺服,大部分是出于每日必行的习惯,或是因为家庭传统,才过信仰生活;不过我又知道什么?而我班上的同学大部分都有信仰。

我开始上数学课。希望能学好。

我当上了纠察队长(可以管十到十五个队员),我特别负责指挥领导"上蜡",但自我上任以来,还没执行过这项任务。班长说:"要给谁上蜡。"纠察队长就决定上蜡的日期、时间和时机,以及要用什么方法找到人来开刀,等等。

工科预备生尽是些卑劣的家伙,真不想跟这种人一起玩。他们爱狡辩,心胸狭窄,玩得差,容易生气,缺点说也说不完,令人讨厌到再也不想跟他们说话。总之,他们把我们整惨了。

我不单要做步兵的军事准备,也要做炮兵的军事准备——这比较有趣。我们上炮兵技术课,在文森纳要塞有实地演练,上校发令,我们拉炮。

每星期去一次。

风纪股长辞职退位，好一件大事。他突然被任命为财务股长，而原来的财务股长接替了他的位置。

我还是必须跟您道别，也衷心拥抱您，然后我就要回头算数学去了。

（新年那天我想回码头堡①，否则就要等到复活节才能再见到您了。）

再见了，我挚爱的妈妈。
我衷心向您吻别。

尊敬您的儿子

海军预备生万岁！！！
工科预备生是猪头！！！
工艺预备生是猪头！！！

我们的黑板上写满了这些话（别科学生在自习室黑板写的跟我们正好相反）。

学校有一位学监也是工艺预备生，应该有二十八岁或三十岁了，所以他最常被我们在黑板上写字嘲笑。我们还会在黑板上写："工艺预备生程度的数学题目：求三个未知数的一次方程式。"（难度等于"吉勒有三粒弹珠，拿走一粒，还剩几粒"或是"二乘二等于多少"。）

这是我最后一张邮票。

---

① 安东的外婆家。

第八封

我亲爱的妈妈,

　　谢谢您的来信。

　　我今天过得很愉快:我在莫里斯舅舅家吃午餐,然后去和刚抵达不久的阿娜伊丝姑妈碰头,她之前就和我约好了。我们在树林里消磨了一个下午。我现在回到圣路易,有点倦,因为我几乎没搭地铁,我比较喜欢走路。(我走了整整十五公里。)

　　玛利亚·德兰星期四结婚;我希望那天能去参加。我收到欧黛特·德·辛纳狄寄来两封亲切问候的信。不知道他们一家什么时候来,若能再见到她,我会很高兴的。

　　您好吗?挚爱的妈妈,不要太操劳;我明年二月就是军官了,执勤的地点不是在薛尔堡、丹克格就是杜隆,您知道吗,如果我八月可以入海军①,我会租个小屋给我们两个人住;军队三天在陆上,四天在海上,陆上的三天我们会在一起;这是我从小到大第一次有机会独自生活,一开始,我会需要一点妈妈的呵护!您拭目以待吧,我们会过得很幸福。在我正式远行之前,我们就这样过四、五个月,您也会很高兴您的儿子能在您身边待一阵子。

　　跟里昂比起来,这里的雾简直是浓得化不开,要是没有亲眼看见,我还真难相信。

_____

　　①　一九一七年,安东到巴黎准备投考海军学校。

您能不能寄以下这些东西给我（这里不像在富希堡，"购买同意书"是行不通的）：

一、圆顶礼帽一只（或者寄钱给佐登女士请她买给我）。此外，还要：一、"波多牌"牙膏；二、鞋带（要在里昂买的，在安贝胡买的容易断）；三、邮票，不过我还有十二张（比较不急）；四、水手用的贝雷帽。

我这星期四难得能出去，可以趁这一天去买圆顶礼帽和贝雷帽（我一定要有一顶帽子，星期天才能和伊芳出去）。所以请您星期一以前写信给佐登女士，附上现金，星期四以前寄到，这样我星期四就可以去买圆顶礼帽，因为急着要；贝雷帽我也急着要，入伍预备训练会用到。

我应该没有别的事要对您说了。学校明天公布第一次法文考试的成绩。我再写信告诉您我第几名。

再见了，挚爱的妈妈，我衷心向您吻别，请写信给我。

您那爱您的儿子，安东

第 九 封

我亲爱的妈妈,

您答应过要每天写信给我的!可是我好久都没有收到信了……

今天星期四,过三天就是星期天,我会到蒙东夫人家赴午宴,她已经邀请我了。之前曾去拜访她,不巧她家里没人,我就留下了一张名片。

天气阴沉灰暗。现在夜景凄凉,全巴黎都泛着蓝光……电车的灯光是蓝色的,圣路易中学走道上的光线也是蓝的……总之,给人一种诡异的感觉……我想德国佬应该不觉得怎么样。然而事实却非如此。现在如果从高处的窗户往下看,巴黎好像一大块墨渍,没有一线反光,没有一点光晕,黯淡得不得了。如果临街的窗户透出室内的灯火通明,住户会受罚,因此得挂上厚重的窗帘才行。

我刚刚读了一点《圣经》:实在太精彩了,风格简洁有力,经常富有诗意。讲戒律的部分整整有二十五页,通情达理,是法律名著。道德的戒律处处展现出美与善的光华:真是灿烂辉煌。

您读过撒罗满写的箴言吗?还有雅歌,真是太美了!《圣经》里面什么都有,甚至经常出现悲情文学,但却比那些舞文弄墨的作家表现得更深刻、更真实。您有没有读过《训道篇》?

我要停笔了。我的身体、精神和数学都很好。

我向您深深吻别。

您那爱您的儿子,安东

第 十 封

挚爱的妈妈：

我们班上刚刚发生内阁危机：内阁辞职。班级政府成员如下：

A. 主席

B. 副主席

C. 风纪长

D. 财务长

在经历一次内部危机之后，主席（属于所谓"正式内阁"）原来希望藉这次在班上举行的信任投票，巩固他摇摇欲坠的权威，但是这次信任投票反而成了不信任投票，使内阁辞职。投票在一间空教室进行，场面严肃，历时一个半小时，中间有几次深入而认真的答辩，最后重新组合出以下内阁：

主席：杜比

副主席：苏德勒

风纪长：德·圣埃克苏佩里

我们没能找到人担任财务长，他当场就辞职了，原因错综复杂，与阴谋、反阴谋有关（跟国家议会没有两样）；一整天在走廊间的会谈磋商，都是由他带领，引发众人热烈讨论；最后我们组成的新政府成员中屏除了财务长，而将之改为常任，自内阁中独立出来。我们成功地让大家赞成了这个提案，经过几次议事阻挠和不信任投票无效后，我们的新内阁终于成立。以前我担任纠察队长，但这个职位不是内阁成员，而是服务干部，和管理捣蛋鬼,负责制造吵闹噪音的"乐队队长"或士官等人一样,都是由班上提名,并且可以撤换。现在我算"内阁成员"了,我们将在海军二军中维持铁的纪律,班级必须绝对服从内阁政府。让我最得意的,就是可以偷偷拿一些班级档案给您看:这可十分值得,因为大部分的人都无权得知档案内容的。

　　没什么特别的事。我会到昂贝希和您会合,然后我们一起到南部去,好吗? 物理模拟考考完,我拿了十四分,还不太差。

　　我不写了,我只剩一分钟,我衷心向您吻别。

尊敬您的儿子,安东

第十一封

挚爱的妈妈，

我用"您"这个字作为开头。

您如果要来，请带我的地图集给我，我早一点拿到比较好，还挺常用到的；我会衷心感谢您的。

多谢您为我做的一切，您千万不要因为我脾气不好、容易激动，就认为我是个不知感恩的人；您知道我是爱您的，我挚爱的妈妈。

我一直都在努力算数学。我要念一点德文。

明天见。

我向您吻别。

尊敬您的儿子，安东

第十二封

　　班上刚刚公布数学考试的成绩排名,我看到自己比上次进步五名,觉得很满意。当然,我离班上排名的前半段还有点远,但是只要继续这样进步,我想不久就可以达到目标! 总不能要求我在三个月内,一口气学会三年的数学;因为我之前只读过文科,数学程度大约比别人落后三年。

　　所以评估我这学期的成绩,算是很好的了,不但没有惨败,而且考试排名在我后面的,有八个人都读过三年理科。

　　您想像得到吗,我已受冯登公爵夫人之邀,明天和她到法兰西歌剧院去看戏。她已经把票寄给我了:请您注意,是包厢票呢,而且包厢票一张要四十法郎! 真是值得! 而且这是多大的荣幸!

　　吉约姆·德·雷斯腾吉现在人在巴黎,他今天上午来看我。他邀我明天到他家吃饭,可惜我不能去。不过下星期天我要去辛纳狄家吃饭,心里好高兴!

　　我不知道有没有跟您提过,上星期天我见到了阿丽克丝姑妈,她在我心中的地位大大提升;我之于她应该也是如此,因为她看到我戴着圆顶礼帽,披着极其优雅的防水衣,一身的装扮无可挑剔。我和阿丽克丝姑妈、阿娜伊丝姑妈,还有一位不记得名字的夫人(她去过摩洛哥,是荣誉勋位团成员),加上另外一位热血沸腾的保皇派女士,一起在糕饼店吃点心;店里的点心令人垂涎欲滴,我的胃一刻也没得偷闲。

　　海军二军的新任"正式内阁",是最突出的一群,其中包括您那可敬的儿子,今天在"A、B"两部队全体成员联合出席之下,公开亮相。是他们传唤我们出席，整个场面令人心中激动万分，因为在场的都是我们不曾认识的人。

他们问我们问题，要我们介绍班上遭遇内阁危机的相关文件，等等。接下来有一小段演说，讲者的声音感人，演说中提到的几个名字，正代表了海军的传统与历史。之后他们告诉我们，他们已委任我们为海军二军的正式内阁（海军二军附属于海军）。

我也掌管印玺，有班上的所有档案，用处还不少。文件中有一大堆讲小阴谋、反阴谋等等的，值得一读，我会想办法让您看到。

为了抵制前任内阁成员不光明磊落的行为，我成立了秘密警察队，我会把资料给您看……

我很高兴。（因为我不久就要见到您了！）我的精神很好，希望可以保持自己认真的态度，挚爱的妈妈，就像我爱您那样认真，非常热真。我向您深情吻别，也满心喜悦地等着不久之后就能真正和您相拥！

尊敬您的儿子，安东
重要又紧急。

请注意：要用我寄给您的白色信纸，给我写一封信，信上写明要我到昂贝希和您会合，再一起去南部，把这张信纸附入您下次寄来的信中，这样我才能离校。因为我必须把这份离校授权书交给总学监。您可否尽早写好寄来？

第十三封

巴黎,圣路易中学,一九一七年

挚爱的妈妈,

　　我去冯敦公爵夫人家吃过饭了……她是比利时国王的姐姐呢!我高兴得不得了。他们都很亲切;公爵大人看起来绝顶聪明,而且非常风趣。席间我没有出过一次错,丝毫不敢含糊,阿娜伊丝姑妈很满意:要是她给您的信中提到我,您可以把信寄给我看吗?

　　让我最高兴的,就是她(冯敦公爵夫人)跟我说,要找一个星期天邀我跟她一起去法兰西歌剧院:这是多大的荣幸!

　　晚上阿娜伊丝姑妈让我四处拜访王公贵族("和谐丛书"里头说到的事儿,好多都遇着了呢!……)我吃了一顿非常丰富的晚餐,用了可与晚餐媲美的点心……真叫人赞不绝口!

　　最后我到S家拜访,只见到S先生和夫人,其他人不在家。他们邀请我下星期天到他们家用餐。到时候我上午到他们家赴约,下午再尽速搭车前往码头堡……

　　不过,要请您赶紧寄来一张以我的名字为抬头的电汇支票,我才能去保留票和座位。我实在是没什么时间了。

　　昂贝希下着雨,而到了码头堡,就会有太阳,还可以看到蒂蒂!然后有十三天的假期,值得好好享受。

　　我不知道我是不是已经告诉过您,上星期天我去拜访了杜白姨夫。

22

当天下午佐登夫妇带我去剧院看《小皇后》，是一出正在巴黎上演的戏。非常精彩。

我要停笔了，我也用着爱您的心，衷心向您吻别，我挚爱的妈妈。

尊敬您的儿子，安东

请注意：比起外省的穷乡僻壤，巴黎大抵来说是个生活比较不容易糜烂的地方。根据我的观察，几位在外省家乡习惯纵情玩乐的同学，到了巴黎都收敛许多，因为顾虑到身体健康。我在行为上很守规矩，一点也不成问题，我想我一直都会是您所钟爱的小安东，永远不会改变。

第十四封

我亲爱的妈妈，

我终于回到圣路易中学了，比预计迟了五个小时。我还挺难过的，不过心情会好起来的，至少我是这么希望。我星期天要外出到佐登夫人家，傍晚到辛纳狄家吃点心。我想拜访罗丝姨妈，但是没有她的住址。您可否寄来给我？

您能再去南部真是好运气。我是不可能跟您去的。您比预期晚到了多久？

天气阴沉沉的，真叫人讨厌，冷得不得了，脚底长了冻疮……脑袋里也长了。数学压在我背上，人都麻痹了；讨论抛物面，有如在泥沼中前进，在无限大中滑行，花好几个小时做虚数的问题，其实虚数又不存在（实数是特例），求二阶微分，还有……还有……呸！

点下这个有力的惊叹号，把我从浑浑噩噩中拉了出来，让我脑筋清醒了一些。我和帕杰先生谈过。我把钱给他了。您原来要付他四百零五法郎，他会把多的钱和下学期的账单一并给您。他跟我说我还有希望，让我好过多了。

尽管我有点难过，但请您不用担心，因为会过去的！还好您现在是在风景秀丽的南部，跟温柔的小蒂在一起，她是您晚年的慰藉。

"佐登夫人式"的小书，我带进学校，读得目瞪口呆。我觉得这些小书大有益处。我明天要跟佐登夫人多要几本。有一出剧，叫《败坏的人》（我想是毕希厄的作品），剧中也有很好的道德启示。

　　我要停笔了，挚爱的妈妈，大概没有什么要再说的了。我衷心向您吻别，求您像以前那样，天天写信给我！

　　　　　　　　　　　　　　　　　　　尊敬您的儿子，安东

第十五封

我亲爱的妈妈，

我还活着……

我给您写过信！只是我把情形写得很仔细，因为有信件审查，描述
"细节"的信都寄不出巴黎。您可想见报纸没有把所有的事都写出来……

德国佬没有白白浪费他们的时间，不过从另一方面来看，结果却令人
不可思议：法国士气反而大振，胜过赢得一场大胜仗。

原本开始要倾向和解、视继续作战为蠢事的人，骤然改变了。听到大
炮、机关枪、炸弹的轰炸声，再好不过。对战事的忧郁萎靡，原本已逐渐蔓
延于普通百姓之间，却因此获得痊愈。要是德国佬再来巴黎一次，巴黎必
然满街都是热血澎湃的爱国志士。

不可能给您交代损失和死亡的详情，我的信会通不过审查。

我昨天到德·丰斯戈隆外叔婆家吃饭。她很好。维鲁特一家也在，
我很高兴能再见到他们。

认识的人都没有受到战事波及。

我眼见耳闻这一切，跟您保证当时打得激烈，让人觉得如临一场大战。
报上说德军来了六十架飞机，我立刻就相信了，因为当时的嘈杂声实在惊
人！而我所在的位置又绝佳；我整个人热血沸腾，兴奋得不得了，真想亲眼
目睹其中五、六架飞机起火燃烧……

不知道您是否读过德国佬在各个报纸所刊登的公报："……我们在巴
黎市区投下一万四千公斤的炸药。"这是要告诉您，他们可没有悄悄经过

……但愿我们也去他们那里走一回。

我既不能向您透露炮弹坠落的地点和街道名称，也不能告诉您圣米歇尔大道是否被三颗炮弹击中，因为信件审查非常严格，所以我就写到这儿了，挚爱的妈妈，我衷心向您吻别。

请注意：我去拜访了住在阿斯奈的贾克舅舅、舅妈。（但是他们不在家。）

尊敬您的儿子，安东

注意：请告诉我您有没有收到我的信。

我觉得信件审查似乎是暗箱作业，也没有拆封查阅：寄达的时间变慢很多，也不知道您何时会收到我的信？？？？

学校行政单位因空袭惨况大为惊慌，下次准备安排我们躲到地窖。这次我们只下了一层楼。这些人真是胆小鬼！

我竟然连一张小蒂的照片都没有！罗丝舅妈收到了蒂蒂寄给她的一张照片，可见照片已经洗好了！快寄一张给我：我会觉得很幸福的！

可是请装进盒子里再寄我。舅妈收到的那张弄皱了，上面满是碎纹。今天晚上就寄一张给我！要马上寄！

第十六封

我亲爱的妈妈，

　　我很好，昨天收到了您的来信。

　　尽管圣路易中学给我们派了最让人无法忍受的学监到这里来，我们还是过得不错。

　　这里也有一座公园，可是不能去。还好庭园很宽广，种满绿树。

　　柯洛先生真是难以想像地好。我有希望了。您相不相信我会考上？

　　佐登夫人星期六晚上要招待我，让我住她家。我想应该会很舒服。（我的字乱得吓人：我太赶了。）

　　虽然这里比巴黎荒凉了些，我们在这间偌大的学校里有点不知所措，但我还不太难过。

　　我想有办法可以申请到一个房间。无论如何，请您在下一封来信中写："我授权你申请一个房间。"有必要的时候我会用到您的这封信；最好先有您的信，因为学校分配房间，名额有限，到了申请那天，我可以抢先申请，就一定会有房间。而且申请日马上要到了。天气阴沉，一点也不暖和。不过我想其实保暖的衣物我都有。我大概只需要一条领带，星期天我会去买。

　　您好吗？希望您在医疗团里没有太操劳。您有没有照片？请寄给我，如果有放大的，就寄放大的给我。我去找过薛费，他给我看了一张照片，洗得太黑，但是还不错（之后就会洗得比较亮）。我星期六会再去一趟。

罗丝舅妈一直那么教人喜欢，在她家里更教人喜欢的，除了良好的品德之外，就是点心时间了；我星期天在她家吃点心，我向您保证，一星期的牛油都下肚了……细致、新鲜，入口即化！

让您知道您儿子吃得好，睡得好，学习努力。

安东

第十七封

我亲爱的妈妈，

很谢谢您的来信。

我们要去圣莫里斯①度假吗?!！说真的，如果是为了您的钱包着想，我非常愿意，但那里还不如昂贝希舒服：还是您要我一个人去？

如果路易·德·彭维也能来就好了，只是他家人不会在度假时让他去别的地方！如果要去里昂，免谈。每次都要浪费一整天的时间坐车！（这个情况一直没有改变。）

说穿了去哪里都不重要。到时候我也是要做数学习题，休息的时候还要再做几个理化实验。我也很想骑脚踏车，可是勒杜神父把我的脚踏车弄坏了！可否请您把它送到米休那里去修理？

我会在附近漫步几回，应该还不错。

我会见到蒂蒂吗？真希望会！我是不是不可能去瑞士？总之，就依您的意见来办，对我来说都没有差别。只是要请您尽快把决定写信告诉我，因为这星期我就要去订车票座位了。

我们这次的数学考试，分两部分：

第一部分，代数。

第二部分，几何。

我做了代数的部分，几何则一题也没写（高中会考的时候不考）。所

---

① 为一庄园，是安东母亲从长辈处获得的遗产；作者童年的假期多半在此度过。

以我的总分平平，但是帕杰先生跟我说，代数二十分，我拿了十四分，全班（四十个学生）我排在前五、六名（可惜我代数和几何平均起来只有七分），真是太棒了，让我满怀希望。

哥达轰炸机来过，又造成灾害。七层楼高的房屋被夷为平地。房屋的断瓦残砖全散落在街道上。此外，轰炸机还会再回来。

我停笔于此，并衷心向您吻别。

尊敬您的儿子，安东

哥达机刚刚又回来了。这是什么地方！想睡觉都睡不着！这次它们造成的灾情惨重，比前天严重十倍。如果情况继续下去，大家都要逃难了。死伤众多，建筑物倒塌无数。位于圣路易中学附近的卢森堡公园有多处损坏。（我们学校四周都被炸弹轰过。）

请注意：我还活着。

圣日尔曼大道总共被七颗炸弹砸中，三颗落在靠近圣多明尼克街的战备部，就在外叔婆家对面。

第十八封

我亲爱的妈妈，

希望您过得好，我真想收到您的来信。要是您知道我有多想念您就好了：您会来看我吗？

明天是星期天，我要到校外去，不用留校。（二十个学生里，只有四个可以到校外去。）这星期学校总共发派了两百零八个小时的留校处分呢！

今天晚上夜色晴朗，肯定可以看到哥达机、警醒机和卡维机。真希望您能到这里来听一次弹幕射击：会让人觉得有如处在飓风之中，仿佛身陷海上的狂风暴雨里，实在太刺激了。只是千万不能待在外头，因为从天上掉下来的炸弹碎片到处都是，会砸死人的。我们在公园里就找到几块。

现在说濛濛要来的事：

星期五晚上将她送出门。这样她星期六上午会到，星期六下午我就出门到佐登夫人家和她碰面，然后我们一起晚餐，晚上两个人再去剧院看戏，第二天早上，星期天，我们再一起出发到勒芒。

濛濛星期六要住的地方，我会去问罗丝舅妈，一定有办法。只是不知您能不能尽快给我回复，这样我才能订到剧院里（不太贵）的位子。因此，您可否给我寄封信（洛荷伯母要我去勒芒），里面写道："请柯洛先生准许你到勒芒参加堂姐的婚礼，我希望你能在那里陪你妹妹。"

大家好像很怕这几天德国佬会攻陷巴黎，每一家报纸都在提。要是他们来了，我就靠我的一双腿逃命（想搭火车也没用），但这种机会微乎其微。

我们在拉卡纳的日子还不会太无聊。现在我们有……

（信尾散佚）

第十九封

我亲爱的妈妈，

　　重要的日子已经来临：明天我要参加体检。我将被编入炮兵部队，同时亦是高等学校的候选生，十月十五日准备入伍。

　　我会请我的部队长准许我继续学业，让我可以到圣路易中学上课（可是他不一定会同意我的请求）。如果海军录取我就好了；如果没有被录取，我就申请加入轻装兵，将军说很容易申请，而且如此一来，更可以选择自己想进的部队。我也遇到不少同学决定要是没有考上海军，就加入轻装兵，而且大家要凑在同一个部队。如果军方同意，我更想加入空军。总之，等到十月十五日或二十日，我就是个军人了。

　　我的德文进步很多，但是因为我才智平平，还有很多要努力的地方。不过我想我现在应该有信心不再拿不及格的分数了，光是这样就很了不起了。

　　我物理"光学"的部分很清楚，只剩下"磁场"的部分要温习。我也不知道考试会怎么样。我们对将来真的一无所知……

　　我希望您身体健康，没有太劳累才是。

　　米玛怎么样？她有没有好些？

　　我衷心向您吻别。

尊敬您的儿子，安东

我刚刚体检完，给人家从头到脚仔细打量。我们一次三十个人，大家都赤身裸体站在评审团面前。评审团坐在一个台子上。我的体格当然没问题，人家还给我道喜呢。

第二十封

我亲爱的妈妈，

我要的文件您准备好了吗？我急着要。

您好吗？希望您身体健康，最近能找一天搭火车来柏桑松……

我的德文进步不少。今天我也开始整理行李，除此之外我还做了几行诗。

我的字写得潦草歪斜，因为我是在膝头上写的，这个姿势本来就不稳定。

濛濛写信告诉我贵族和拉波塞特骑士的风流韵事结局如何。这是个怎样的人物啊！实在太令人称奇……

我收到彭维的来信，他本来想加入海军，却没能录取；如果我没有考上，我们会想办法进同一个部队。其实我没有打算待在第五炮兵部队，可是如果彭维也在那里，就另当别论，但炮兵部队并不吸引我。我也有可能考上，那就……准备往布列斯特出发（四分之一的机会）……

我总觉得维达勒一家人很亲切。我星期天到维达勒夫人家用饭，她带着我和一位不认识的夫人在附近散步，我们还带了点心去，非常美味可口。

圣莫里斯有没有发生什么新鲜事？小斑鸠有没有常常咕噜咕噜叫？它身上披的羽毛是否神秘高雅，连路灯都紧追在后？和神话里的欧尔非相比，犹有过之。（还好不是说它唱的歌，因为如果路灯听到了它的歌声，大概会一直泛蓝光，就像在巴黎看到的路灯一样。）

能做这样的思考，可见我有多聪明。

我刚刚随笔画下这屋里最俊俏的明星。我画得怎么样？

（素描）

男子样板。

我要停笔了。我画的图太丑了，又写不出什么来。

我衷心与您吻别。

尊敬您的儿子，安东

第二十一封

我亲爱的妈妈，

我回到巴黎，收到了您的来信。我用电报给您的朋友回了信。如果能再见到您，和您单独相处一阵子，我会好开心。知道您生病了，我好难过；您的烧退了吗？

如果我们两个能到山上走走一定很棒。（在瑞士大家都会问："要去哪一座山？"去阿尔卑斯山？还是去白朗峰？您可以在山上速写、画水彩画。）我们可以编排戏剧演出，还可以做好多事。您的身体一定要好起来才行！

要是您在我到达之前就先上山的话，请写信告诉我您在哪里，我才能和您会合。

昨天我和路易·德·彭维一起去大木偶剧场，看一出当地传统的死亡剧。按照惯例结局都有人会自杀而死（演技令人赞赏）。

您说有一封濛濛的信要给我，可是您没有放进信封……

吉约姆舅舅好像在圣莫里斯，您没有遇见他吗？

这几天天气不热，但我真想像夏天那样生火烧烤，也想知道您是不是过得舒服！您还一直觉得冷吗？

我收到蒙东家二女儿写来的一封长信，她写了四页，还寄上照片、图画等等，祝我生日快乐（我昨天满十九岁）。是啊，说来滑稽，我居然在停战的第一天满十九岁。

我不知道要跟您说什么了。

（素描）

我不会画画……真糟糕！
所以我不写了，因为我真的没有话要跟您说了。

尊敬您的儿子，安东

我向您深情吻别。

第二十二封

我亲爱的妈妈，

两周以来没有人给我写一封信。这一阵子很奇怪，大家即使彼此不太认识，也互相写信……

我很好。最近心情还不错，只是功课也不少。我几乎每天往丘吉尔姑妈家跑，她真教我喜欢。上星期四在佐登家吃饭，明天又是星期四，要去在阿斯涅的彭维家吃饭；下星期天还要去维达勒家，我不久前才去拜访过他们。我作了几首诗，其中一首颇长，有人觉得很值得(?)还有一两首十四行诗写得还不错，但是我有别的事要忙，所以还写在以前您给我的吸墨水纸上。

我的小提琴愈来愈进步，开始挑战肖邦的夜曲。其中一首蛮难的，我也会拉，而且拉得还可以。这是一首很精彩的曲子：第十三号曲。

希望姨妈的病有好转：我想今天晚上应该会收到您寄来的信；有个顽皮鬼害我们错过彼此的来信，寻人开心。您可能已经启程回南部了吧？

所以说，明天我要去彭维家吃饭。他们人很好，还带我去戏院。我希望去"拉贝莲娜"，不过其实我还不知道会去哪一家。

濛濛现在在做什么？别人的事我都知道，就是没有她的消息。说真的她也没有太多我的消息，除非我会梦游，一边睡觉还能一边给她写信。

您给我的波德莱尔小集已经成为我的良伴。不过我那本破烂的旧书也有过它的价值，我可以随手翻到想读的地方。是习惯造成的。即使布隆尼森林里大雨滂沱，只要有它，身子蜷缩着也可以沉思默想；不过您给我的这本珠玑小集,让我渐渐忘了它,因为这本小集好像一个相称的珠宝盒,里头装着波德莱尔的奇思异想……看,多美的一句话! 我会不会虚浮了些?

我最近还挺高兴的。第一,我没有心烦。第二,我努力用功,让我的意识得到休息。第三,我几乎随处都找得到可以让我没来由地满心欢喜的东西,一直到今天都是如此。一个肖邦的音符,一句沙曼的诗,一本弗拉马希翁的精装书,和平大道上的一颗钻石,还有……在我的忧郁褪色以后,我想到了沙曼的一句诗:

发现你像一个新世界那样年轻而纯净。

我发现甚至上数学课时也可能引起艺术的情感①,我会给您看一本解题簿,里面篇章的安排,标题间的协调,图形所具备的灵秀优雅,会让人觉得这是一本富有奇异纹饰的艺术书籍。而两极环索线原来不过是一条可怜的四次方曲线,高起的时候,是为了扮演好它装饰性图案的微妙角色。

我的艺文小册颇受欢迎。大家觉得我的风格模拟得还不错。我也跟您提过,我写的《美的朝圣者》这首诗,大家也都觉得很出色,我下星期天去维达勒家要朗诵给他们听。

生活真有美好的时刻。我有一些好伙伴,我对他们也很好。他们都很有才情,"沙布杭式"的独特想法让我狂喜不已。当我们讨论平淡无奇的虱子话题时,说到要用什么方法来摆脱这东西,"很简单,让我们其中一

①　一九一九年十月,安东进入美术学校当旁听生。

人扮成严肃的学究,把全身的毛发和头发剪成楼梯状,再把楼梯扶手拿开,顷刻虱子都从楼梯上……滚到地下。"真可爱! 一点也不文雅,却很可爱。

小碧好不好……? 我以前总是抱怨我在里昂的那段日子,其实那时能和她单独出去,我是很得意的……而且她真的让我觉得很体面:她的大衣别有风味……她长得也不差……请您代我向她问好。

我开始每天练习拉小提琴半个小时。希望这样能有一些进步……啊,要真的会拉……您可知道我谱了一首古怪、悲戚又凄凉的曲子……我自己很喜欢。不过我只在自己独处的时候拉,我怕听的人会昏倒;最近昏睡性脑炎很流行,后果可能不堪设想。只不过不知道听众会因为太感动还是因为太恐怖而昏倒。

我给沙布杭写航空邮简……航线通摩洛哥。您傍晚去邮局寄信,第二天信就可以到哈巴!

再见了亲爱的妈妈。请包涵我的字迹,我写字从来没有这么快过……

我向您吻别,我爱您。

尊敬您的儿子,安东

第二十三封

我亲爱的妈妈,

这封信是在佐登夫人家写的。今天晚上我要去特维斯家晚餐。星期天中午要开圣路易中学校友会。

我可怜的妈妈,您好吗? 可否请您经常写一些濛濛的消息给我? 这可怜的孩子,她好不好?

我蛮用功的。我最近三次的考试成绩分别是十二分、十四分、十四分。数学考得不错。

我跟一个朋友又去了一次独立公园。东西不少,但是都很糟糕。特别是那些美术学校展出的现代绘画,真是难看。觉得仿佛来到肉店的门口:看不到任何技巧、任何线条的韵律感;好像一大块肉摊在眼前。

我做了另外一首诗《真的朝圣者》,我的同学们都很喜欢。可是我等着要把它介绍给比这些可爱男生更懂得诗的人知道。别人要我誊诗给他们,我总是说好,但说真的,我连给自己誊诗的时间都没有……放假的时候再说吧。我很高兴,因为我觉得我最近写诗的水准大有提升。

我想我会成为沙曼的忠实门徒,但也可能不会,因为我不想把他归成一派,只是沙曼在《金马车》中的表现越来越教我崇拜。

我上个星期天去余贝舅舅家吃饭,之后他们带我去看昂希·巴戴的《荒唐处女》:这是一出极为感伤,甚至悲惨的戏,却非常精彩。昂希·巴戴是个戏剧天才。贝纳史登和他两人在我看来是出色人物。我肯定会尝试戏剧创作,我对戏剧兴致勃勃,以其所能凝聚的情感强度而言,它是一

种特殊的文学体例。然而这种文学结构，需要一种较为普遍的想法创意铺排，所以当创作者的意念错综复杂反而不适合。

一本我读过但不记得叫什么的杂志上说："说真格的，我不觉得康德或布突两人为戏剧开创了新意。"我个人认为，像贝纳史登和巴戴这样的剧作家，其实是将一种意念，总体来说是一种"观察"、一种"情境"，呈现在观众面前。"即使人们以为彼此相爱，他们却永不相知，人还是向着自己的。"贝纳史登在《秘密》中如此写道。

"生命中有一些无解的情境，崩溃了既定的想法。"巴戴的《荒唐处女》如是说。

我已仔细思考过所谓天才与荒唐的一线之隔，我想把它们写出来。我觉得这有点像在搬文弄字，特别是搬弄"疯狂"这个字。

若说荒唐是指理智的支离破碎，以及对导出中心思想的无能为力，那么我觉得这和天才的距离非常遥远，因为天才是指连贯思想使之前后一致的构思能力，以及建立中心思想的能力。

当不同的思想彼此差距太远，惯于使用直觉的天才又没有在之间加上可为两者中介的思想，则他的中心思想可能会显得前后不一致，就成了荒唐，荒唐倒不再是一连串的矛盾与怪谬，而是另一种层次的思想，应该用另一个字来说，可是我还没有时间给您说明我的理论，而且我的脑子现在对这个论点并不是很清楚。

我想给您说些好玩的事，可是我实在找不出一丁点儿有趣的东西来。

我刚刚念完一首昂希·海涅的十四行诗，一首很好的诗。他说的是一年的十二个月。十一个月已然过去，带给他的只有失望和哀伤，但当十二月来临时：

在我的漫漫长夜中，你要给我带来什么？

他们，他们只会说希望的谎言，不过是幻影。

而你！我今天仿佛看到

自你深邃眼底升起的幸福之星！

　　我经常和路易碰面的。最近几天要去拜访沙布杭家。真可惜马克在摩洛哥，他可曾是我在那里的好朋友！

　　您要来巴黎吗？我明白您为诸事烦心，为生活的错综复杂苦恼。但是起码您不用担心我：我很好，我没有心情不好，而且我很努力用功。

　　挚爱的妈妈，我走笔至此。我衷心向您吻别，如我爱您那样。我也和可怜的希濛娜吻别。

尊敬您的儿子，安东

　　您是否能今天寄电汇支票给我？这样我星期二晚上才能出去。

皮鞋——防水外套——零用钱。

第二十四封

我亲爱的妈妈，

谢谢您的来信。收到的时候我好高兴。（我字写得不好看，因为我用的是新钢笔，新笔还不习惯我写字的方式。我已经把旧的那支写坏了。）字写起来好像苍蝇在爬，请您见谅。

我很好，只是累了，我会回勒芒休息八天。

再过两周左右就是中央高等工艺制造学校的口试了。我会去参加，是出于好奇，不抱一点考上的希望：每个人都会去参加口试。我的笔试成绩平均大概是两分①。

路易考得比我好些；但他觉得根本不用去参加口试，就不再准备了。

至于我，我是个贯彻始终的人，但这次的考试已经全盘落空，坚持下去也没意义。

我是从伊芳这儿写信给您的。今天晚上我先住她这儿，明天再出发去勒芒。我算是经常遇见冯维家的人的，至于路易，他真是个好人。

昨天，在歌剧院大道上，有一条很长的游行队伍。我算了算，阻挠我们通行的车队，一共有四十五辆汽车！有四十五辆！我们发现一件妙透了的玩意儿：一条全长一公里的绳子，从头到尾贯穿了整条游行队伍：所以别的车子没一辆可以把队伍斩断……挺滑稽的。

我现在和朵俐·德·蒙东有书信往来，我觉得她们家的人真有意思。

_____

① 法国的满分是二十分，两分算是很低的成绩。

想到珍娜,不妨开口唱蒂蒂的老调:

"人家说你就要结婚……"边唱边涌出如湍流一般的苦涩眼泪,甚至想要挨一下吉列牌刮胡刀好结束自己的生命……不行……我要坚强,我能抵挡这锥心之痛……

哎呀,这倒让我想起我还得为她的婚礼写诗,我已经答应她了。回到勒芒的时候再写。

天气好得不得了,只是天空太蓝,小小云朵太白。是一种"老掉牙"的天空,跟十九世纪时的版画一样,您知道我的意思。

天气好得不得了,今天很凉爽!真是凉爽!要不是去看了一小时的牙医,我的下午本来可以是非常美妙的!

我到两家不同的糕饼点心店吃了两客冰淇淋。我可以确定,冰淇淋和(歌曲里说的)骆驼是造物者最好的两项发明。

我刚刚把自己的诗念给特维斯家的表兄听。他听了大为赞赏,又给了我许多个人的建议,独到又有见地。他是个才智超群的人,您可知道?

我发现我的喉咙还有一点痛,觉得很难过。但愿不要再发那要命的高烧。我不该吃下那两客冰淇淋。

这封信我给您写了好长,希望给您解点闷。我想我生病的时候,我也会愿意收到喜欢的人写来的长信。您生病了,我真难过……

我很想逗您笑一笑,可是最近一连几天几夜,我都没发现好玩的事儿。

我刚才环顾四周,发现自己在一间堆满拿破仑像的房间里。这房间挺不错的,里头的每一件摆饰都是伟人拿破仑的样子,姿态千变万化,每一个柜子,不论大小,至少都摆了五十件玩意儿。

在我对面的是一座瓷像,带着一份善意的傲慢看着我。以伟人的标准而言,这件瓷器做得有点太胖了:一个伟人本来不该是胖的,他的内心应该烧着火;稍微往右,摆着一个拿破仑的骑马像,马身往上仰,拿破仑一个轻快爽朗的动作,扣人心弦,仿佛接下来他至少会喝下四瓶法国好酒。其实拿破仑一生饱飨荣光,滴酒不沾,只喝清水,这副滑稽的脸庞,和他的实际人生不符。这座雕像所呈现的和我所知的历史事实大相径庭,让我颇为惊讶。

我今天晚上势必要因为这成千上万的拿破仑像而头昏眼花了。左边那座又瘦又干的雕像,我看得越久,便觉得它越干越瘦,非要等到我毛骨悚然才罢休。有着嘲弄表情的那座,会狡猾地来扯我的耳朵,还要百般捉弄我,叫人应接不暇。要是我晚上没有做这些梦,就表示我的精神系统够强。

伊芳今晚特别漂亮。她为我演奏一首我喜爱的肖邦的曲子。肖邦真是个天才! 然后我念了一些诗(可是这我已经跟您说过了)。

如果有一天能读到您写的战争回忆录,该有多好! 挚爱的妈妈,开始动笔吧! 不过话说回来,您既然身怀一技,会画油画,不如多加练习,何需劳神于这些对我来说永远比数学更神秘难解的文字之中呢?

濛濛在圣莫里斯的茂密草丛中有没有越吃越肥呀? 小蒂呢? 可怜的宝贝,她待在家里应该很幸福,因为她又可以和那些鸡啊、狗啊、兔子啊、火鸡啊等等在一起。濛濛也可以和她的意大利朋友一道。

意大利人的仪态气质当然是高人一等,但我觉得他们是靠祖先的遗产生活,没有创造的能力。无论是艺术或科学方面,都没有发挥出力量来。

我刚刚发现我的床罩是淡粉红色的。我不禁想到糕饼店的点心,直吞口水。有一套浅粉红色的床罩,真教我高兴。

第四座拿破仑像正亲切地对着我微笑。

（……）

我不太知道要跟您说什么了。而且五分钟前我就开始上句不接下句了。我衷心与您吻别，如我爱您那样，就此停笔了。

尊敬您的儿子,安东

第二篇　入伍学飞

二十岁至二十六岁的安东

安东没有通过海军学校的入学考试，

一九二〇年至一九二一年间，

改为准备巴黎美术学校建筑科的考试。

一九二一年四月二日，

空军终于接受了安东的申请，

让他入史特拉斯堡空军第二兵团服役。

第二十五封

亲爱的妈妈，

我昨天收到您的信，去邮局领的。请您把信寄到军营里来，直到我确定我可以每天出营队为止；到时候，再请您把信寄到市区去。

史特拉斯堡①是个完美的城市。大城市的特色一应俱全，比里昂还大。我找到一个好得不得了的房间，楼层里有电话和浴室可以使用，位置在史特拉斯堡市内最高级的一条街上。房东一家人都很好，却不懂法文。房间设备豪华，有中央暖气、热水、两盏电灯、两个柜子，公寓里还有电梯，一个月租金一百二十法郎。

我见到德·斐理贡德少校了。他人很亲切。他会负责处理我申请飞行的案子。由于文件要通过层层严苛的关卡，因此会等得很辛苦。总之没有两个月不会有结果。

我是在军营（食堂）里给您写的信。今天早上，我们就由一位胖憨憨的士兵监护，晃过一间又一间的军需仓库，领餐盘，试鞋子。

指挥中心很活跃。斯巴德战斗机和尼厄勃战机的空中特技，充满活力。

我见到克耶斐了。过一两个星期，等一切都安顿好以后，我会跟他要一些建筑师的资料……

---

① 一九二一年四月，安东进入史特拉斯堡第二航空大队担任机械师，业余进修飞行课程。

指挥中心位于史特拉斯堡郊区。如果要节省时间念书,一辆摩托车大概是少不了的。摩托车的事以后再说。等有了摩托车,我要去阿尔萨斯逛一逛。

坐火车经过牟罗兹,阿特奇许和科尔马,远远就看到阿特蒙斯维雷科夫万人冢①。陡峭的山头上埋了六万四千人。

史特拉斯堡的特色:德·斐理贡德少校跟我说,歌剧表演听说很精彩。

目前我对军队生涯的想法:根本没事干,至少在空军里头是这样。学敬礼,踢足球,好几个小时手插裤袋闷得发慌,口叼香烟抽到熄灭为止。

军中的同伴还不讨厌。我口袋里装满书,太无聊的时候可以打发时间。希望能赶快学开飞机,我就心满意足了。

不知道什么时候会发军服给我们。不过我们也不大在意。我们穿着便衣晃,看起来很蠢。从现在到两点都没事做。两点的时候也没事,不过是把在 A 位的调到 B 位,在 B 位的调到 A 位,然后再互相对调一次,回到原位罢了。

再见了,挚爱的妈妈,总之我还算高兴。我向您吻别,如我爱您那样。

尊敬您的儿子,安东

① 在老阿蒙山,是第一次世界大战战场。

第二十六封

我亲爱的妈妈，

没有新鲜事，当然，一定有事情比军营生活更多彩多姿。日子越来越难过。我大概一个月左右就知道可不可以去开飞机。我已经提出申请了。

上次打疫苗的地方，过了好久才恢复。我曾痛得发狂。

现在我在自己租的房子里，刚刚泡过澡。只有这时候可以休息，而且时间好短，来回路程就耗完了。

常写信给我。您可知道信件给人的恬静！如果每天都收到从圣莫里斯寄来的信该有多好！你们轮流写信给我吧。

巴黎我没去成。本来我要去买书的，可是有人用别的方法送来了。算了。

我还没收到您的电汇支票。是不是寄丢了？或是还没寄出来？您上个星期就跟我说寄了，已经过了四天。我没一点钱了。

我很难过，因为火柴没了，即使有酒精灯，也不能点火烧茶了。军中征求到摩洛哥的志愿人员。三个星期到一个月内都可以提出申请。如果我不能学开飞机，就去申请。这样起码可以跟沙布杭在一起。

我的时间虽然很少，但我还是继续准备二十六日开始的下期课程。

再过十分钟就要离开这里。不能迟到……不然要关禁闭。

圣神降临节的时候，希望能有两天假到巴黎去。要去巴黎，是因为回圣莫里斯的来回行程就至少要花掉三十小时。去巴黎，如果可以搭飞机，

只要两个半小时。到时候您会去看小碧吗？

就去巴黎吧？

我要停笔了，我向您吻别，如我爱您那样。

尊敬您的儿子，安东

蒂蒂不是答应给我寄包裹的吗？（还要加一块烘饼在里头）别忘了今天早上要寄电汇支票（寄到军营，用邮局的明信片汇票）。

第二十七封

我亲爱的妈妈,

您可能想像不到,我在等着当飞行学习员这段时间,要先当……老师! 五月二十六日起,由我负责教授内燃机和空气动力学这两门理论课。我要带一班——或许有一块黑板,还有很多学生? 之后我一定可以当飞行学习员。

目前我觉得我们团很不错,跟其他人散布的谣言恰恰相反。

首先,我们不做别的,只做运动。整个团就像一所足球学校。我们也做中学时的简单游戏(躲避球,跳马),惟一不同的是,这些活动是规定要做的,而且如果做得不好,要关禁闭,晚上睡在潮湿的稻草上……还有一个地方也跟中学很像:

"某某某,给我抄一百遍:集合时,到队长左手边。"

今天晚上:疫苗注射。

跟我同寝室的人都不错,大家一起玩枕头大战。他们对我真的好,而且很好,但说到枕头大战,我丢的比挨枕头的时候多。

回头说当老师的事吧! 还是觉得想笑! 您看,我是老师了!

我午餐和晚餐都和同伴一起在食堂吃,其中有一两个很讨人喜欢。我傍晚六点出部队,到市区我租的地方泡澡,沏茶。

准备课程要买不少颇贵的书。是否能请您一收到信,就寄钱给我?

此外,是否能请您每个月寄五百法郎给我? 我差不多要花这么多。

我们队长姓德·比利。您认识他吗? 如果您认识他,请他多照顾我。

　　您在巴黎吗？您可以先经过史特拉斯堡再回去,这城市很精彩。要不,就等以后吧,等我当了老师,就可以常休假……

　　就这样。我要停笔了。

　　我向您吻别,如我爱您那样。

　　　　　　　　　　　　　　　　　　　　尊敬您的儿子,安东

　　请把钱寄到军营(信寄到市区或营队皆可)。地址:下莱茵省史特拉斯堡中区空军第二团。

第二十八封

我亲爱的妈妈，

　　我刚刚见过德·比利上尉，他对我很亲切，由于他忙于军营中的各种紧急备战措施，因此令我代他向您答复。

　　他认为我想先取得民间合格证，是可行的，不过：

　　一、我明天要去做体检和复检。

　　二、要和少校谈，请问民间公司的相关资料，等等。

　　我想成功的机会很大，到时我会通知您的。

　　我刚刚从一架斯柏德·艾柏蒙战斗机下来，整个人都被翻转过来了。我对空间、距离、方向的概念到了高空都消失殆尽，丝毫不能协调。我在寻找地面时，越往下看，上面就越左右摇晃。我以为我飞得很高，突然一个垂直旋转，使我高度大降。我觉得飞得很低，但靠飞机的五百马力，两分钟内就上升了一千米。飞机又跳、又滚、又前后摇摆……天啊！

　　明天我要跟同一位飞行员一起飞上五千米的高空，飞到云层上方。我们和另一位朋友开的另一架飞机，要展开空中对抗。空中旋转、倒翻跟斗、左右翻转必将我一年吃的东西全都从胃里反呕出来。

　　我还不是机枪手。多亏我学过相关知识，才会组装。昨天吹的是暴风，雨下得如同针扎人脸，当时时速两百八十到三百公里。

　　除了准备民间驾驶合格证外，我想在九日开始学射机关枪。

　　昨天看了好多战斗机。

　　单人座的斯巴德战斗机，机身纤细光滑。沿着库房一字排开，机尾底

下装有全新的小巧机关枪。三天前才装上的。昂希欧机是大腹便便的火流星，斯巴德·艾柏蒙战机则是目前的机王，环顾四周，无一架飞机有它那种霸气，机翼有如皱起的眉毛……

您不知道斯巴德·艾柏蒙战机的样子有多坏、多凶残，是一种很吓人的飞机。我就是想要驾驶这种飞机，想得不得了。它在空中飞的时候，好像鲨鱼在水中游，飞机就像只鲨鱼！连光滑得出奇的机身都像。运转灵活快速也像。机翼垂直的时候也能飞。

简而言之，我现在有满满的热忱，如果明天体检被淘汰，我会非常失望的。

（……）

再见，挚爱的妈妈，我衷心向您吻别。

尊敬您的儿子，安东

第二十九封

史特拉斯堡，一九二一年

挚爱的妈妈，

我昨天收到您的电报。我已经写信给您说明，上尉已将一切手续作了正式安排。

我刚刚做完两次身体检查，结果我的体格以飞行员的标准来看，是"佳"。

军方的准许令马上会下来，我在等。您是否可以不要等到星期四，明天晚上就带一千五百法郎给我，其中的一千法郎帮我存进银行？

妈妈，您可知道，一切越顺利，我想开飞机的意愿就越坚定。如果我做不到，会很难过，可是我一定做得到。

我的未来有三个方案：

一、自愿服役一年以上。

二、外调摩洛哥。

三、取得民间驾驶合格证。

我一定会选择其中一个方案，而且现在只要拿到证书，我就可以开飞机了。

只是前两个方案实行上有所不便，上尉和我都觉得第三个方案比较明确。拿到民间驾驶合格证，我自然会再取得军方驾驶合格证，不需以自愿服役为条件。

您捎来的限时信让我很困惑。这显然是您的下下策,您说民间驾驶合格证所需的费用,要用借贷的才行;我可不希望如此。我觉得您似乎不赞成!您说说看,这件事情您不愿意做吗? 一切都安排好了,申请书也已经提交给少校了。看到您的这封信,上尉岂不觉得荒谬,他还会同意我的申请吗? 妈妈,您说呢?

如果申请不通过,我就去自愿服役,这种浑浑噩噩的生活,两年、三年我都无所谓。

但这样实在不合理,因为我都掌握了最便捷的方案了。

妈妈,求求您今天就寄汇票给我,或者明天晚上出发,不要等到星期五。

我也会很高兴再见到您的,您说是吗,妈妈。只是不要叫我陷入重重懊悔。您可知道,一切都很急迫,我已经浪费好多时间了。

尽管接到您的这封限时信,我还是信心满满,可不是吗?

我衷心向您吻别。

尊敬您的儿子,安东

第三十封

我亲爱的妈妈，

昨天轮我站哨，没能回您的电报。

一般规定：如果没有重要事由，不能拍电报。如果有重要事由，我会请军邮官协助。因为军营不在史特拉斯堡市区，我们出营的时候经常都太晚了。

我收到了您的来信和在军营中兜了一圈才到我手中的汇票。别人签收的时候，把我的名字写错了。蒂蒂的包裹我还没收到（他已经答应要把我的名字改过来）。

我已经仔细考虑，四处询问，也和别人讨论过了。如果我想在这两年有点成就，只有这个办法。算起来，我每天晚上的自由时间只剩半个小时。被操练得疲累不堪的我如何再用功念书？或是好好规范生活？我把所有准备资料都交给东部通航公司（民航公司），也签了字……一切手续都已办理妥当。我星期三开始练习。练习三个星期左右到一个月。到时候我要去巴黎找您。

一开始至少要先学飞一百次，次数很多（不论飞几次都是两千法郎）。

我星期三开始练习。我已经全心决定。当个在飞行员旁边的机枪手，我没兴趣；此外，我想靠自己的能力做些事。

您能不能明天星期天寄一千五百法郎给我（寄到军营），一千法郎是拿到合格证后可领回的保证金，或者您也可以自己领回。五百法郎是分四期付款的头期款。

我学开的是一架速度非常缓慢的法赫曼，他们在机上装了两副操纵装置,让我不必一开始就飞有两副操纵装置的梭普(高速机)。

我跟您保证,您一点都不用担心。三个星期内,我都会在这架特别装了两副操纵装置的飞机上学习。其实我现在也几乎每天都在军机上,比如说今天就是如此,没什么差别。

在信中您告诉我,要考虑得十分周详才能下决定;我向您保证这次就是。我一分钟也没有浪费,因为我想赶快学会。

总之我星期三就要开始学飞,只是我想星期二先有钱在身边,才不会对公司觉得尴尬困扰。

我求求你,妈妈,别把这件事告诉任何人,求您寄钱给我。如果您同意的话,我会用我的军饷慢慢把钱还给您。如果我是军机驾驶员,我会更有机会通过军官学校的考试。所以今天就寄钱来吧,我会很感激您的,您说是吗,妈妈?

晚上的时候偶尔会难过。您应该找一次机会到史特拉斯堡来。我在这种环境里有点透不过气来。没有前景。我要找一件我喜欢的事情来做;我害怕自己会沉迷在酒馆。

所以来这里一次吧。车票花您八十法郎,您可以睡我租的地方。

请写信给我。原谅我只有区区几秒,写出来的字潦草不已!

您不用害怕流行性感冒。史特拉斯堡没有传出病例。

我向您吻别,如我爱您那样。

尊敬您的儿子,安东

您是否可以今天早上写信给玛襄先生,请他立刻寄一千五百法郎给我。能抵押的我都抵押了。

第三十一封

我的好妈妈,

我可是给您写了一封十页的信了!

您难道没有收到？一天晚上我站岗时在月光下给您写的。岗哨在一条小溪边。(我可是冒着被战备委员会揭发的危险写这封信给您……夜里站岗的时候还坐着写信……)

说到我,我也一样,什么都不知道。我连濛濛那时候在巴黎都不知道。我现在还是不知道她在巴黎做什么。完全不知道。我在这里真觉得孤单。

说到蒂蒂,她生病了。我好想有大家的消息。一切真的都好教人难过。

还是那句话,妈妈,濛濛在巴黎做什么,她住在哪里,等等,我什么都不知道。

妈妈,我又看了一遍您的信。我觉得您是如此的忧伤和疲惫,然后您又责备我不写信……可是妈妈,我写过的! 我觉得您很忧伤,这教我好难过。

我很好。没什么特别的事。军队和民航公司两边都有点混乱,相关的准许令都还不知道结果。只要我可以,就回到您身边,只是不知道什么时候。

您的信好像一团雾包围着我,害得我好难过。除此之外一切大致都好。我刚刚设计了一个转数表,有一位下士对钟表很在行,他要帮我组

装。实际做出来的样子到时候就会知道。

我把最后的计算完成了。

妈妈,再见了。我向您吻别,如我爱您那样,我的好妈妈。写一封不那么忧伤的信给我吧。

我向您吻别,如我爱您那样。

尊敬您的儿子,安东

另,您是否能今天寄生活费给我? 我在前一封信里就曾请您寄来,我身上已经一个星期都没钱了。

我也曾请您从里昂给我寄来以下书籍:

一、适合工程师使用的一套内容详尽的空气动力学课本(一套、一本或数本)。

二、一套内容详尽的内燃机课本。

请您尽早寄来,现在没有书,我很不方便。

这不会给您添麻烦吧,您说是吗,挚爱的妈妈?

安东

(比方说,在德拉沙希代街上,就有一家很大的书店。我要的是科学理论的书。)

第三十二封

我亲爱的妈妈，

多谢您的来信。我递了回执，不过是递到巴黎，上面是收信当天的日期，回执地址是里昂旅馆。您把您的住址留给旅馆了吗？

您终于来看这伙人了，做得好！这是做母亲的本能……

我一边上民航公司的飞行训练班，一边上军队昂希欧战机机枪手的训练课程。等我拿到观测员和机枪手的合格证，就可以升下士。

我差点就要动身去君士坦丁堡。军队已经征求过志愿人员，明天出发。可是我想过，这应该不是机械师的理想选择，加上我要等双项合格证拿到才行……去君士坦丁堡，又可以免费！机会的确绝无仅有。教我打消念头的另一个原因，是我知道我们团可能会移师里昂。到时候到圣莫里斯开飞机只要十分钟。

本堂神父擦亮您的靴子

准备好要上飞机

如果真是这样，神父大可准备闻歌起舞。如果不是的话，我也可以靠军队里的资源，计划一次如诗般的旅程。

这一阵子我都睡在禁闭小间里潮湿的稻草床上。禁闭室在地窖里。黯淡的月，苍白的值勤士兵，一起在气窗口看守。几个古怪的家伙，被关了好几个星期，唱着郊区和工厂流行的奇怪歌曲。那些歌实在哀伤，哀伤到让人以为听到了海船的汽笛在响。大家用蜡烛照明，吹熄的时候尽量不发出声音。

除此之外，我在禁闭室早晚都在休息。关禁闭一点也不令人讨厌，对少做一分钟削马铃薯皮勤务的我而言，倒是一种还算温和的惩罚方式。

操练快结束的时候，我的军士、中士和下士都换了人。现在带我的长官都是一些十足的野蛮人，让我过得很糟，他们总是随自己心意，对人吆喝不停。

十五天后，我可以再回史特拉斯堡市区，法国，我租的地方，商店的橱窗。请经常写信给我！

米玛怎么样了？圣莫里斯呢？一切都好吗？后来我还挺高兴您见到煦度院长的。希望您可以要到我的国民记录档案，寄过去给他（德朗布何街二十二号）。我衷心感谢您。

皮耶·德·亚贵寄给我一个地址，要我去拜访那个人。等禁闭和留营结束，我就会去。

没办法回拍一个电报给您。而且出军营的时候，因为时间太晚，电报局都关门了，就已经不可能了。

再见，挚爱的妈妈，我要停笔了，我衷心向您吻别，如我爱您那样。

尊敬您的儿子，安东

第三十三封

我的好妈妈，

我很希望您能星期一就来，因为我怕拿到合格证以后，大概会没有时间，况且我还要从史特拉斯堡出发前往马赛。

我们可以这样计划：如果我们只有一两天，就搭飞机去巴黎，看濛濛。在此之前，因为我有很多空闲时间，我们可以去逛阿尔萨斯。

我很想明、后天开始我第一次的单独飞行。然后合格证很快就可以拿到。

钱和书我都收到了。妈妈，要感谢您。我现在是穿便服。我不想被抓。我把自己关在我租的房间里，抽烟，喝茶。我也非常思念您，回忆起我小时候您的许多事来。我时常让您难过，这真教我伤心。

妈妈，您可知道，我觉得您是如此地完美，是我所知道心思最细腻的妈妈。您实在应该享福的，不该有个邋遢的大男生整天对您低声抱怨或者大发雷霆。您说是吗，妈妈？

我本来想把整晚的时间都拿来给您写信，一直写，一直写。只是天气太热，我都要热死了。而且虽然晚了，窗口还吹不到风。这才痛苦。到了摩洛哥，还得了？

您可能想像，曾有一个来自维拉雷东布的高瘦个儿好子弟，和我同寝，思乡的时候，他总是唱《浮士德》或是《蝴蝶夫人》。莫非维拉雷东布有家歌剧院？

我喜欢国王的那句台词："夫人，风很大，我杀了六匹狼。"今天早上风也很大。可是我喜欢这样,我喜欢风,还喜欢搏斗——在飞机上,和强风挑战。然而我又不是身形强壮的对手。我都在和煦美好的早晨起飞,降落在朝露之中;我的教练是个诗情画意的人,总会为"她"摘几朵雏菊。然后他会坐在轮轴上,静静地欣赏眼前的景色。

我在这里认识了一位举止高尚的伙伴。简直就是法兰西一世或是堂吉诃德再现。我不敢强要他揭露真实身份,只是对他非常尊敬。我觉得自己好卑微,好卑微……

他光顾我的小窝,前来喝茶,教我倍感荣幸。他谈哲学,头头是道,如出名门;他对音乐和诗也有精辟的见解。他三天内就来了三次,宽宏大量地称赞我的茶香,烟好,我不禁自问:"莫非他是个大老爷?(他的动作轻缓稳重。)还是高贵的骑士?(他的目光尊贵正直。)总之,是法兰西一世,还是堂吉诃德?"

这让我颇为困惑,我很想知道。他令我感到佩服:他双脚跨坐在椅子上的时候,是那么尊贵。

后来有一天,堂吉诃德来和我解释他那些前景美好却所费不赀的计划,说了很久。接下来法兰西一世就向我借了一百块……

一百块从此再也没有回来……

阿纳多勒·法朗士说过,这是"众神的余晖"。

妈妈,现在就要午夜了,我还是觉得热……

我向您吻别,如我爱您那样。

尊敬您的儿子,安东

两张汇票我都收到了。谢谢。书也收到了。

第三十四封

挚爱的妈妈，

国防部公告：

"为使士兵安东·德·圣埃克苏佩里取得合格证，特准其延迟两周出发，并已采取相关措施。"

如果我还有时间，我就扑向圣莫里斯，可是我不敢向您保证。要能让螺旋桨一直保持在两千公尺的高空，需要有一定的经验，把飞机降落在屋顶上，绝不是件好玩的事……

我觉得蒙唐东一家人都很好。蒙唐东先生对我亲切极了。我好喜欢这样的人。他钓鱼时十分专注。我差点就跟他健行去了。要不是他，我也不会动用了您的支票。

玻海勒一家非常率真热情地接待我，其实他们并不认识我，也不认识我的近亲（连玛德阿姨也不认识）；我很感动，对她们心怀感激。

可惜夫人和她的"小姐们"，还是走了。她们到南部（土鲁斯）的时候，天气会有点热。

没什么新鲜事。到凯勒曼河堤散步了几回，绿色的河水，遇到天气热了，就越来越混浊。在艾柏蒙机上练螺旋、倒翻斤斗，接下来免不了要晕机（不过我已经开始让自己适应这些艰难的空中特技）。在法赫蒙机上驾驶，螺旋桨叶片经常动也不动，发动机也难得运转，有如"家中老爷"。飞机盘旋的时候谨慎庄严，着陆的时候轻柔从容，没有螺旋也没有倒翻斤斗的动作。且待我来驾驶艾柏蒙机，不再做永远的乘客……啊！真棒的飞机！

说到开法赫蒙机，几乎可以全速前进，我已经能掌握。

我常常下棋，喝几杯啤酒。我就要变成凸着小腹的中产阶级了。再见到您时我将是个胖墩墩的阿尔萨斯仔。我已经有口音了。我在学当地话，好让您开心。

在博物馆里寻求艺术情感又有什么好处？我秉持些微的顽固，坚持以热能的观点来评断作品的好坏。第十八幅是粉红色的，圆圆胖胖，我觉得好糟糕……我自揣："他们每个人看起来都很热的样子。"只有葛拉斯海的石版画，和俄罗斯的乡村景色，给了我一些感动。

噢，摩洛哥……

除此之外我极度无聊。我的下棋对手因为天气热而变笨，却反而赢了棋局，因为他没有看到我给他设下的陷阱，这教我气急败坏。

我不写了，要去泡个舒服的澡。

我不久前刚收到您的汇票。我还要在这里待十八天，这个月的房租也还没付（不管是走或留下都要付）。我也还有衣服要送洗。

我是以飞行员的身份去赫巴的，真是高兴。沙漠从飞机上看，应该很壮观。

我就写到这里了，我向您吻别，也向洛荷姊姊、堂姐妹们和我的众姐妹们吻别。

尊敬您的儿子，安东

第三十五封

我亲爱的妈妈，

我同时收到您的两封信，一封是一日寄的平信；一封是七日寄的航空邮件。您总是这样给我写信，应该不会觉得太麻烦吧？

您终于回到了圣莫里斯。天知道我什么时候会再回到这亲爱的老宅院。我对卡萨布兰卡腻了。您相信望着十三颗小石子和十丛杂草，可以丰富思想吗？在小说里头可以。在实际生活中，这使人头脑迟钝。什么都不想。两三个小时大脑努力思考后，才勉强生出如此深刻的思想："你想汤是不是快好了？"（静默两小时）然后是："今天早上遇到一架飞机，真应该好好发动射击，阻止它直往前冲。"或是："心情好烦。"（从此一直静默下去，思想迟钝。）

我的驾驶同僚真的是很那个。他们只在晚上吃饭的时候对我好。临时搭建的一间偌大的木板屋，空荡荡的，就是我们的食堂，微弱的烛光隐约照映出同僚们僵直赤红的脸庞，地面的反光呈现血色，映衬出一幅幅强盗土匪群聚巢穴的景象。我敢保证人家会说这是一幅林布兰的画。

一整天景色都没有变化，太阳傻傻地照在那些不值得照的东西上。觉得好愚蠢。从容自在的蠢。

你们每一个人我都想念。小蒂，我太爱她了，这个好女孩。我希望她常写信给我。

我很有可能和中队离开这里，去参加冬季或春季军事行动，一位和我一起受训的中士，也会同行。他第一次受伤，是在濛濛一位朋友的哥

哥——侯贝·德·居黑勒那里包扎的。除此之外,他已经摔坏了一架飞机;我则安然无恙。

这里只有一件事情教我喜欢,就是日出。日出的变化有如上演一出戏。首先,自夜空出现由紫色和黑色云朵组成的庞大布景,越来越清晰,安设在地平线上。然后,有光线自黑色舞台后射出,大放光明,照亮了整个后景。这时太阳升起。一个红色的太阳,一种我以前不曾看过的红色。上升了几分钟以后,太阳又消失在混沌的云幕中。仿佛穿过一个洞穴一样。

我在这里找到"归乡",笑得要命,重温了我们在雅特奈共度的夜晚时光。我的好妈妈,真是好久以前的事了。您可以买下来,随时都可以开怀大笑,而且看了演出,还可以刺激想像力。

妈妈,如果您同意让我念联合专校,我就自己写同意书,因为有许多细节要写。我要主修"航空工程师"。我在这里根本不可能学建筑和绘图。

您能不能也把柏侯兹航空学课本的前三册寄给我?您之前已经把第一册寄给我了。

最近他们经常要我飞。平均每天早上起降六次。从早上八点以后,就开始觉得太吵,很累。而且总是很早开始飞,天刚露白就开始。

我要停笔了,我衷心向您吻别,如我爱您那样。

常写信给我,告诉我谁在圣莫里斯,温柔的米玛好不好,还有玛吉发明了什么新舞步,我要给她一百万个吻。

尊敬您的儿子,安东

空军第三十七团飞行员

卡萨布兰卡①

摩洛哥

妈妈，卡萨布兰卡五个字要写在一起！

我会帮米玛照一些这里的风景。

---

① 一九二一年八月，安东调到卡萨布兰卡第三十七航空大队。

第三十六封

我的好妈妈，

　　我收到各种珍宝，有信，有牛奶，教我的心都开朗起来了。

　　上星期日我用同僚的相机拍了几张照。我把海和附近仅有的几棵高大悲凉的仙人掌的照片寄给您。此外还有别的照片，照的是我在岩石之上的身影。您喜欢这些照片吗？蒂蒂来到这里应该会很高兴。这里有好多令人嫌恶的黄狗。它们在这穷乡僻壤游荡，一只挨着一只，有时呆笨，有时凶狠。

　　要不是这些黄狗，我早就到本地的村落去探访了。村子是用麦秆和泥土搭建的，外围只有一道崩塌的矮墙。傍晚的时候可以看到穿戴华丽的老者，和发育不良的矮小女人。红色的天空烘托出他们黑色的身影，他们像村墙那样慢慢地老去。黄狗在狂吠。骆驼安然地嚼着小石子，难看的小驴子在打盹儿。照起相片来会蛮好看的，可是还比不上安省的红瓦小村庄，那里有载满干草的二轮马车，绿色的草原，还有好多农家养的乳牛。

　　初雨。睡午觉的时候，一条小溪流过鼻梢。外面，天空翻腾出一块块的大云朵；临时搭建的木屋被风吹开，发出海船般的呜咽，雨水在周围聚积成湖，看起来好像诺亚方舟。

　　木屋里，每个人都安安静静地在蚊帐下埋头大睡。蚊帐是白色的，感觉好像来到单身女子宿舍。最后大家竟习惯了这种感觉，开始变得娇羞起来，直到几句粗话把人吵醒为止。有人就再用别的粗话大声骂回去，以至于白色小蚊帐害怕得颤抖起来。

　　我已经写信给联合专校了，谢谢您的同意。请您记得寄这个月的膳宿费给我，一日要缴。我打算请假到费兹去散心。

　　再见，挚爱的妈妈，我向您吻别，如我爱您那样。

尊敬您的儿子，安东

第三十七封

我的好妈妈，

我收到您寄来的包裹，里面有几双袜子和一件绒质粗毛线衫，让晨风变得轻柔，到了两千公尺的高空，也不觉得寒冷。毛线衫就像母爱那样散发温暖。

我不知道自己怎么了：一整天都在画画，因为一直画，所以觉得时间过得好快。

我发现自己生来就是要用细炭笔画画的。我买了几本速写簿，在上面尽力地描绘一天当中所发生的事件和人的姿态，或是同僚们的笑容，或是小狗布拉克抬起前腿想看我到底画了什么好东西时的冒失动作。

布拉克，我的好狗，请不要乱动。

等我把第一本簿子画完，我就把它寄给您，但条件是：妈妈，您看过以后要再寄回来给我……

下过雨了。啊！下得可真大。下雨的声音听起来好像湍流。不过雨水很快就找到出路，从屋顶上的千隙百缝中流了下来。雨水从上级刻意不予接合的木板缝中渗入，让我们熟睡时做了许多美梦，因为雨水流进我们嘴里，仿佛应许之地出产的美酒入口。您寄来的羊毛衫真的非常暖和。多亏它，使我看起来生活无虞，让我有一点公子哥儿的味道，可以迷惑人。

昨天我在卡萨布兰卡。我先带着我的孤独在阿拉伯小街漫步，那儿孤独比较不明显，因为街道一次只能容一个人走。

蓄着白胡子的犹太人，贩卖阿拉伯人的奇珍异宝，我跟他们讨价还价。他们盘腿而坐,在漆金的皮质凉鞋和银制腰带中老去,而穿着五颜六色的客人都前来礼拜:还有什么境遇比这更诱惑人的!

我看到一个杀人犯遭到游街示众。人们把他痛打一顿,要他向面目庄严的犹太商人和蒙着面纱的矮小阿拉伯女子大声喊出自己的罪状。他的双肩都脱臼了,头也被敲破了。很有警惕作用,能端正道德。人犯浑身是血。围在他身边的打手大声吆喝。他们身上披的布,每一块都在舞动,每一块都在刺耳地呐喊着自己的颜色。虽是粗俗野蛮,却又绚烂夺目。小小的漆金凉鞋则不动声色。银制腰带亦然。有的凉鞋真小,要等到它们的女主人出现,还要好久;有的实在太华丽了,大概只有仙女才配穿上……天啊,这仙女的双脚必然又小又巧。正当那只漆金小凉鞋对我述说它的梦想——踏上马赛克镶嵌瓷砖的阶梯——的时候,一位蒙着面纱的陌生女子来讨价还价,把它们夺走了。我只瞥见她那两只大眼睛……噢,漆金凉鞋,但愿她是最青春的公主,生活在处处都是美丽喷泉的庭园里。

可是我真害怕。我想到有些可爱的小女孩,差点就嫁给又笨又丑的糟糕男人,都是她们那些昏庸的叔叔伯伯的错。

我的狗儿布拉克,请您安静,这些事情,您可是一点也不懂。

我的好妈妈,请您坐在一棵开满花的苹果树下;别人跟我们说,现在法国的苹果树正在开花。请代替我好好环顾您的四周。景色应该翠绿可人,芳草遍地……我很想念自然绿意,那是精神的食粮,可以让人的举止保持温和,维系心神的安宁。如果没有了这个代表生命的颜色,您马上就变得干枯败坏。荒漠的野兽天性易受惊吓,惟一的原因就是它们没有俯卧在苜蓿丛中生活。说到我,当我遇着一棵矮树,总会抓下几片叶子,塞进我的口袋,回到寝室后,我爱怜地注视它们,轻柔地翻转它们。我能从中得到慰藉。我想再望见故乡,那里处处都是绿意。

我的好妈妈,您无法了解一片素净的草场能多么地柔和人心,但您更无法了解一架留声机竟可以让人伤心欲绝。

是啊,留声机正在转,我向您保证每一首老曲子听了都教人难过。它们太轻,太柔,我们过去在故乡太常听这些调儿。再听到时,却如着魔般挥之不去。悦耳的曲调反而带着残忍的讽刺。这一段段的曲子动人心弦。我闭上双眼,浑然忘我——流行的舞步;浮现眼前的是布雷斯式的老旧置物箱和上蜡的地板……还有玛侬……真奇怪,一听到这些曲子,就变得心怀怨恨,好像铁道工人看着有钱人走过那样。听这一类的音乐,要人不由得追忆起往日的幸福时光。

也有能安慰人的曲子……

噢我亲爱的布拉克,别再叫了,我听不到了。

妈妈,您是无法了解的。

我向您吻别,我的好妈妈,用我全部的温柔。我的好妈妈,快写信给我,要常写。

尊敬您的儿子,安东

第三十八封

我的好妈妈。

我好久好久没有收到您的来信。我求求您,给我写信吧!

我的好妈妈,您在故乡好吗?我经常想起您。我想要有您新画的粉彩画,我是要定了。我想像您在傍晚漫步的情景,真希望当时能陪在您身边。

我在周刊上读到一篇好文章,把它寄给您,题目是《我的女儿和我》。您会喜欢的。

妈妈,这篇文章让我的心好疼。您为了我们什么都做,我却常常不知感激。我曾经那么自私、笨拙。过去我从来不能给您需要的依靠。我觉得我开始懂得每天多了解您一点、多爱您一点。"妈妈"是可怜人惟一真正的避风港,这从来不会错。可是为什么您不再写信给我了?如此焦急地等待邮船,却什么也没等到,这不公平。

今天早上我起降六次,我认为次次都是完美演出……我理应完成规定的航程,可是每一次我都冒险再飞远一点,演出逃课记。

我飞到两座庄园建地的上空,察看搭造的情形;早晨日出的时候,是粉红色的。刚好飞一百米那么高。有一间全是蓝色的屋子,屋旁有花园、水井,我也在上头转了好几个漂亮的弯。好像一个小绿洲。我等着一千零一夜故事当中的嫔妃前来汲取碧绿丽水,可是这时一切仍在睡梦之中……

脑中存着这个梦,我飞往高处,只想一个人逍遥。在我眼前,有大船

在海面荡漾，海天之间，云雾模糊了界线。转一个弯，来到卡萨布兰卡，眼下是一片红色的土地，上面洒落着白色的小石子。这座城市有如娃娃身上的小玩艺儿。再转一个弯，看到停机坪和木板屋，纤细可爱……横穿美景，直往前冲。降落的时候，飞机上的缆绳和张线都咻咻作响……终于着了地，眼前却残酷得教人失望：原来是个骇人的劳改营。休息五分钟，我又给飞机老旧却完好的内燃机加满油，再度起飞。

我的身体非常健康。我只想常常收到您的来信！寄航空可以快个五、六天到。您写信给我时请务必寄航空，只要在信封上加注"寄自土鲁斯，航空邮件"，再贴上一张一法郎的邮票，就这么方便！

我跟你们一个个吻别，还要跟玛吉吻别。

给我寄照片，给我寄信，给我寄什么都好，给我寄点什么东西来吧！

我衷心向您吻别。

尊敬您的儿子，安东

第三十九封

我的好妈妈,

您怎么可以让我这么久没有您的音讯,您也知道这样有多折磨人。

两周以来我没有收到一封信! 妈妈!

我镇日揣测是否发生了什么坏事,心情很糟。妈妈,我只想收到信! 蒂蒂和其他人都不再写信给我了。我在这里,想念你们的时间变多了,没有信来,我感到更寂寞。

我一毛钱也没了。我到赫巴八天,去参加军官学校的考试。我并不希望考上。我向往空军飞行中队的生活。我不想花一年的时间在一间糟糕的军事理论学校把自己弄得晕头转向。我不是当士官的料。我觉得这种工作呆板又乏味。

如果来摩洛哥只到过卡萨布兰卡,我觉得很可惜,早知道就不来了。如果被录取的话,我想放弃。我要重新念建筑或是做些别的事,不再考军校了。

无论如何,我会想办法请到一个月的假,因为我好想再见到你们每一个人,真的很想!

在赫巴的八天过得很棒。我理所当然地遇见了沙布杭,以及一位圣路易中学的同学。我也认识了两位优秀的年轻人,他们都是来参加军官学校考试的,是医生的儿子,文质彬彬,家教严谨;我还认识了一位上尉,以前住在里昂,他邀请我们五个一起吃晚餐,包括沙布杭、我圣路易中学的同学、那两位年轻人还有我。他真是个有魅力的人,和我们打成一片,此外，又擅长乐器和美术……他在赫巴的白屋区，有一栋白色小屋。当月光如棉絮般洒满赫巴城的白屋区时，我们走在其中，还以为是在极地的雪中漫步。那一晚真是太美好了！

到了赫巴我才发现它的绝妙。从赫巴我才开始认识摩洛哥。走不完的街道，人来人往，光影浮动——啊，要是我会画水彩画就好了，除了颜色，还是颜色，乍看之下，恍如仙境。走不完的富街贵道，神秘厚重的大门开在狭窄的通道上。没有窗子。偶尔会有一口清泉，几只驴子在喝水。

自从我回来以后，就没有闲过：我开始我的处女航行。今天早上飞了三百公里：贝贺海契—赫巴—卡萨布兰卡。因此我得以从高空俯瞰我钟爱的城市……令人不可思议的洁白、恬静。贝贺海契略偏南方，是个乱糟糟的小镇。

明天早上还要飞三百公里。下午都在睡，因为累的关系。

后天，往南飞长程。要到卡斯巴达德拉。需要飞将近三个小时，由此可知行程有多少公里。回程也一样。不知道飞行途中会有多寂寞……我等不及要飞了。

今晚，在安详的灯光下，我学着用罗盘辨识方向。巴路中士将几张地图摊开，放在桌上，解释道……"到这里（我们都俯身研究错综复杂的航线）你们走西四十五度……那里有个村子，你们飞到村子的右边，不要忘记使用罗盘，在仪表上调整方向舵……"我开始神游……他让我回过神来："要多注意……现在是西一百八十度，除非你们要从这里横越……但是这里的辨识点比较少，注意，这一条路线不错……"

巴路中士请我喝茶。我小口细啜。我梦想着要是我迷路了，就降落到蛮夷之境。这样的故事我不知道听过多少次："如果你跳下飞机，正好一个女人在你面前，而你扑向她的胸怀吻她，你就糟了，她会自认是你娘，人家会给你几只牛、一只骆驼,然后让你成亲。这是保命的惟一办法。"

我现在的行程还太单纯,不能冒险。这不打紧,今天晚上我还是很期待。我真想参加沙漠的长程飞行任务……

我好想开飞机带您四处游历。

我要停笔了,挚爱的妈妈。写信给我,您就行行好吧。如果可以的话,您能不能也寄一张五百法郎的电汇支票给我,因为多去了几个地方,这个月的花费较高。我剩下的钱都拿去买邮票了。明、后天我先想办法用借的。

我温柔地向您吻别,如同我还只是个拖着一把绿色小椅子的小男孩那样……妈妈!

最后一小时。我刚完成卡斯巴达德拉的来回航程。飞机启动没有失误,飞行之中也没有遇到障碍。这次的飞行让我深深着迷,详细的情形我再写信告诉您。

安东

第四十封

我的好妈妈，

　　我是在一间摩尔式的漂亮小客厅给您写的信，身边尽是大靠枕，桌上放着一杯茶，嘴上叼着烟。沙布杭正在弹钢琴——德布希、拉威尔的曲子都有。其他的朋友则在玩桥牌……

　　因为我们认识了最完美无缺的人：驻守赫巴的普胡上尉。他受不了自己的同僚，他们几乎全是自愿加服兵役的下士出身；这回终于有一群讨人喜欢的朋友在他身边：有沙布杭，还有一位曾和我一起准备海军学校考试的中学同学，和另外两个年轻人。六个人之中，有三个是乐器演奏高手，包括沙布杭、普胡上尉和"篮子"。他们即兴发挥。我不玩乐器，光听，人在靠枕堆里越陷越深。

　　他对我们实在太好，家门都为我们敞开，让我们得寸进尺起来。沙布杭和我从卡萨布兰卡到这里来住整整两天。晚餐的气氛很好，我不骗您，因为我们每个都……很风趣（可不是）。我们通宵达旦，凌晨三四点钟才睡，因为每晚大家扑克牌都打得火热，音乐也玩得如痴如醉。我们赌得荒唐，一个晚上可以输掉十六块。我们天性知足，觉得这样赌和用旧金币赌一样好玩，赢了二十块就退出赌局，摆出应有的阔模样。

　　现在沙布杭在卡萨布兰卡，每个星期六我们都会出发到赫巴，星期一晚上回去，在这个花朵盛开的国度，生活过得轻松惬意。原本摩洛哥这块荒乡僻壤，先是铺上了一层新绿，还有闪闪发亮的草地；现在绿地上覆满了红花、黄花，一片片的平原相互辉映。

　　气候温暖，刚好适合让心灵歇息。我钟爱的赫巴城今天一片宁静。

　　上尉的房子，隐藏在阿拉伯式白屋迷宫的深处，倚着乌达伊亚人的清真寺，清真寺的尖顶自庭院破天耸立，傍晚从客厅走到饭厅，抬头仰望群星时，会听到穆安津①的歌声，仿佛自一口井中往上看。

　　再见，钟爱的妈妈。一个月内我一定可以再见到您。在期待中，我温柔地向您吻别，如我爱您那样。

　　您有没有收到我上星期寄给您的一封长信？

　　请您今天寄膳宿费给我。

尊敬您的儿子，安东

---

　　①　在清真寺尖塔上宣报祈祷时间者。

第四十一封

卡萨布兰卡

我的好妈妈，

您真是一位完美的妈妈。拆包裹的时候，我像小孩子一样高兴。我从包裹里拿出了好多宝贝……

报纸上说法国天气正冷！您过得好吗？这里，气候温和。天气晴朗，阳光和煦。

圣诞节的时候我给您寄了我拍的照片和几张速写，可是您从来没有跟我提过。难道全寄丢了吗？我求求您告诉我是怎么回事！还有，我的速写画得好不好？

我昨天做实物写生，画了一只狗，还不错。我把它剪下来，贴在信纸上。您觉得怎么样？

最近飞得很好。今天早上飞得特别好。不过不再飞长程了。

两周前，我去了边界的卡斯巴达德拉。去的时候一个人在飞机里，冻到都哭了！那时为了要越过高山，所以飞得很高，虽然穿了毛里连身裤，戴着毛里手套，但是如果航程还要持续很久的话，我会立刻降落。本来我以为自己地图算读熟了，就没有把它放在飞机上；到了高空，光是要把手伸进口袋，拿出地图，就花了二十分钟。我把手指咬得发痛。而我的脚……

当时我无法再有任何反应，飞机开始四处乱飞。我那时真是个可怜无助的家伙。

吃过一顿丰盛的午餐后，回程倒是出奇顺利。身子回暖后，登回座舱，也不管什么基准点、道路和城市，我像个年少的英雄，靠着罗盘直往前冲。去程我花了两小时四十分钟，回程花的时间比较短一点。强大的涡流也不能打倒我；当我远远就瞥见卡萨布兰卡的时候，有一种十字军士兵看见耶路撒冷的骄傲。天气非常好：我从二十四公里远就望见了卡萨布兰卡！（相当于从圣莫里斯到贝勒加德。）

勃侯勒怎么跟您说我报考军校的事？

即使我没有考上，或者放弃录取资格，我都很可能二月的时候回去看您，因为我接下来就要到靠近马赛的伊斯特飞一两个月的尼尔勃机。等我到了伊斯特，就可以有二十天到一个月的假期。

您将为我备好酒菜……

再见了我的好妈妈，我向您吻别，请写信给我。

尊敬您的儿子，安东

第四十二封

卡萨布兰卡

挚爱的妈妈，

您在遥远的家乡还好吗？

我都还好。我这一阵子飞得很多，几乎平均一天一小时。

您的来信是空虚日子里惟一的期盼。我做什么事都提不起劲来。不知道我要往哪个方向发展，这份焦虑一直存在。学建筑要花的时间好久好久，我觉得不怎么适合自己。

说真的，我写的诗，画的素描，都躺在我的军用旅行箱里，曾有什么价值吗？也没什么。我不觉得自己适合这条路。

没有幸福的国度。没有一个朋友。没有一个可以说话的人。我本来喜欢和人交谈，到了这里却说不到几句话。我去赫巴时和沙布杭喝酒，是惟一的一次。

我本来很想趁勃厚勒一家在费兹的时候去那儿一趟。现在，是不可能的了。

在贝贺海契、赫巴或其他地方，降落只停留十分钟，拿文件去签名、喘口气、加油。然后又一个人登上座舱，展开和空中涡流的交战。

我很快又要登机了。

我的好妈妈，要是您看到我一大早就全身裹得像个爱斯基摩人一样，笨重得仿佛一只犀牛或大象，您一定会忍不住……

我有一只羊毛头套，只在两眼的地方开孔，加上我还戴了眼镜……

脖子上围了一条大披巾（舅舅的），身上穿着您织的白色紧身毛衣，再加上一件毛里的连身裤。手戴大手套，脚上穿了两双袜子，再套进我的大鞋子。

安东

第四十三封

包裹海运公司

我亲爱的妈妈，

昨天，丹吉尔城自远方逐渐消逝。永别了，摩洛哥。我们沿着西班牙海岸航行，一座白色山镇在阳光下逐渐出现，我的邻座在他的长椅上说出那响亮的名字，使我们因而惊叹不已。

我的脚下风平浪静。没有一片云，也没有一点浪。菜单还不错，没有什么消遣娱乐。没有人下棋，我把我所有的书都翻遍了。我到饭厅坐下，和善地注视几位摆设餐具的男生。终于有一件好事可做。可惜晚餐在日落时结束，破坏我吃餐后甜点的兴致。

蒂蒂写信来，说她要跟我一起回圣莫里斯。旅途上会很有趣的。我会跟她说："亲爱的朋友，您可好吗？"而她听到了，则会在其他旅客面前表现出一副趾高气扬的样子。

我现在就写信跟您说明。到了马赛以后，我很可能一整天都要疲于奔命，比如要去某处做体检，此外还要办一些行政手续。我没有一秒得闲，如果蒂蒂一心要到船上来等我，我恐怕只有匆匆与她一吻的时间。她势必先回圣拉斐尔跳舞去，而我要等事情办完，能离开伊斯特时，才能回去

妈妈，摩洛哥现在天气好热，我很怕回圣莫里斯会得支气管炎，请您弄暖我的房间，回家生病多划不来！您把到巴黎的行程提前几天，就可以

带我一块去，好不好，妈妈？您可知道我多怀念巴黎的灰色石材建筑、对称的花园和文艺展览！

我也不抱怨摩洛哥，我在那里过得不错了。尽管我曾在肮脏破烂的木板屋里度过阴沉惨淡的日子，但现在回想起来却觉得满是诗意。况且在摩洛哥也曾有过美好的时光，在赫巴仅有的几次精彩聚会，我将铭记在心。

要带哪些朋友来？您总不会要我硬把他们从摩洛哥请来，在家待上一个星期吧？我在法国的朋友，像沙列斯和彭维两人，也都在忙！

船摇晃了几下，教人担心。我感觉中午吃的炸鳕鱼在我肚子里醒了过来，轻微地抖动。可是天空没有一丝云彩。我的天主，请你平息这小小海浪。

再见了，我亲爱的妈妈，请打开家门，摆好酒菜。请代我向本堂神父下跳棋战帖，跟米玛和玛吉说我有多想念她们两个，也请您拜托濛濛不要告诉雷晶娜我的归期，这样等我回去，找一天晚上突然闯进路易的房间，他一定会大吃一惊。

安东

第四十四封

我的好妈妈,

我刚才重读您那天写给我的那封溢满柔情的信。我的好妈妈,我好想陪在您的身旁!您可知道每天我都学着要多爱您一些。最近我没有写信,因为要忙的事情好多!

今天晚上天清气爽,我却黯然神伤,也不知是为了什么。在阿沃的实习好累人,时间又长。我实在需要回圣莫里斯好好休息,我需要您陪在我身旁。

妈妈,您都做些什么呢?您还画画吗?您还不曾跟我提画展的事,也没有跟我说过雷平的评价。

请写信给我。您的来信会让我好过些,像迎面而来的凉风。我的好妈妈,您是如何写出如此美好的东西来的?使我读完以后总要感动一整天。

我还是像小时候那样需要您。军队里的士官和纪律,战略的课程,尽是些枯燥乏味的东西。我想像您在客厅插花的情景,真恨那些军官。

明天上飞机,我起码要朝您那个方向飞五十公里,假想我要回去。

我怎么有时候还会让您流泪呢?一想到这里,我就很难过。我教您怀疑了我的温柔。但您可知道我对您的温柔,妈妈。

您是我生命中最美好的部分。今晚我就像个孩子一般想家!在家里看您走动,听您说话,我们原来可以一起生活,可是我却没能享有您的温柔,我也不能做您的依靠。

今晚我真的难过得想哭。当我伤心难过的时候，您真的是惟一的慰藉。记得我还是孩子的时候，背着书包回家，因为被处罚，边走边哭——您可还记得，是在勒芒的时候，只要您亲亲我，就什么都忘了。您曾是对抗督学和学监的强大依靠。回到您的屋里，就觉得安全了，在您的屋里，没有危险，只要做您的孩子就好，真好。

而直到如今，还是没变，您还是避风港，您总是什么都知道，您让人忘记所有悲伤，让人不禁觉得自己像个长不大的小男孩。

妈妈，我要停笔了。我脑子里想着还有工作要做。我要到窗边吸进最后一口凉风。这里跟圣莫里斯一样，也有蛙鸣，但它们唱得可没那么好听！

我如此温柔地向您吻别。

您的大儿子，安东

第四十五封

厄弗

我亲爱的妈妈，

您后来有没有收到我那封里头有版画的信？我又给您寄了一张。您觉得怎么样？

我对现况觉得很满意。上的课都很有意思，也安排得非常好，是我原来所不敢想的。

我一个星期大概飞四次，两次当驾驶员，两次当观测员。我学了好多摄影窍门和测量的技巧。

但是最让我高兴的，就如我跟您说的那样，我终于差不多摆脱困境了。

您的女儿们好吗？米玛现在在瑞士吗？我完全不知道。蒂蒂回圣莫里斯了吗？濛濛什么时候考试？

天气宜人，只是有点热。下午在机场整理照片册的时候，我们热得汗如雨下。只有飞行可以让我们凉快。

功课变得比较枯燥，分量却还是很多，对预防头脑生锈非常有用。

玛吉有没有收到我的信？我在里头提到书的事，希望她能帮忙：我马上就要开始准备高等航空学校的入学考试。就像我跟您说过的一样，我将以少尉的身份听课。加上我的飞行奖金，一个月大概有一千法郎可领。

我会结婚，还会有个小公寓，请个厨娘，和我可爱的太太一起生活。

妈妈，那个斤斤计较的裁缝师跟我要钱了，他倒没有大吼大叫，而是用斜眼暗示。您能不能今天寄两百法郎的电汇支票给我？

我从自己的小房间里给您写的信。房间里头又乱又闷热。我的书、暖炉、棋盘、墨水、牙刷都紧挨着我，堆放在书桌上。

我向我的王国匆匆一瞥，我的子民仍躺在抽屉深处。

您想不想要一条巧克力棒？等一下，那边有一条，就在圆规盒和酒精灯之间……

您要一支笔吗？在那边的盆子里找一找。应该是我把它放进去的，因为要清洗。

我想趁我不去巴黎的星期天，也就是四个星期天中的三个（复活节以来我还没有去过巴黎），到布赫吉的骑马场骑马。我的几个同学正在考虑要不要一起去。

再见妈妈，我不是故意不给您写信，请您不要生我的气。

我听到飞机发动的隆隆声。多柔美的音乐……

安东

第四十六封

巴黎

妈妈，

所以是您没有收到我寄出去的信。我还空等您的回信。我的好妈妈请您原谅我。

蒂蒂洋溢着幸福的光彩。我的好妈妈，您是否也一样高兴呢？德·丰特奈伊阿姨也真教人开心……

我今天下午到一个美国女士家去用点心，她是阿娜伊丝姑妈的好朋友，叫做"Miss Robertson"。有三个讨人喜欢的年轻女孩，还有小巧精致的糕点。我对她们三人同时有着好感，于是感到心情矛盾。她们三个总是一起回答问题，三个都喜欢同一出舞台剧，同一出歌剧，喝茶的时候三个人放进杯里的糖都一样多。每一个都教人想一亲芳泽。

她们三个在五点十分的时候一起离开，我难过了三次。

我飞布赫杰和维拉库勃雷，上级派我到维城练习空中特技。我驾驶尼厄勃二十九机，是目前速度最快的机种，机身小，爆发力强。

在布赫杰的时候，我给不少的朋友起了绰号，像是谢耿、S等等。他们尝尽各种苦头，我则在我的座舱里轻轻暗笑。

我看了一点书。我刚读完侯杰·玛丁·杜·嘉禾的《提勃》。风格仿佛罗曼·罗兰,但还是没有尚·克里斯多夫精彩。

我发现自己没有专心写信,却在想我那三个美国小姐。

她们在巴黎只去过法兰西歌剧院和凯旋门,真有趣。她们从来没有看过电影,真教人惊奇。她们的眼睛在低头的时候应该会自动合上吧,就像陶瓷娃娃那样;我很肯定在卢浮宫的玩具区看过这样的眼睛。她们喜欢跳舞,"因为很好玩",喜欢音乐,"因为很美"。她们不喜欢埃菲尔铁塔,但是如果别人强调塔的优美,她们也会三个同声发出赞叹:"啊,是啊……真是如此。"

她们一个穿红色,一个穿绿色,一个穿蓝色;一个金发,一个棕发,一个栗发。她们好像三只成套的小手绢,我真不知道该如何选择。

我的好妈妈,帮我找一个像她们一样的女孩,我一点都不需要她跟我讲文学理论和理想主义。N让我觉得很无趣……

我昨天在佐登家和您的女儿们一起吃晚餐。我要停笔了,我向您吻别,如我爱你那样。

安东

第四十七封

我的好妈妈，

您好吗？我最近没有给您写信，因为我每天都在等待，希望自己能就目前的情况做出一个决定，但是我现在还不知道该做什么决定。不过星期四或星期五的时候我还是会去看您。

在 L 的信末，我给蒂蒂写了一封很长的信。

我写的一个短篇小说，《新法文杂志》可能会发表。

我最近写了两三篇东西，还不错。

可怜的维达勒将军病得不轻。我晚上刚给他打过电话。

我见过伊芳好几次，找过苏杜一次，昨天刚见过贾克舅舅家的人。

我的生活丝毫没有新的变化。每天都和 L 一起，日子过得安详惬意。

我还是很想见您。蒂蒂的未婚夫什么时候来？

我现在住在邱吉尔家，地址是维奈依街七号。也许在我之前的住处有新寄来的信？我前天刚刚退租。

再见了我的好妈妈。我衷心向您吻别，如我爱您那样。

尊敬您的儿子，安东

第四十八封

维维安街二十二号

我的好妈妈，

　　我的工作好多，多到我都没给您写信，而且还不是什么有意思的工作。我很后悔。于是我现在来到灯下，那只您送给我、我很喜欢、给我泄下温柔光芒的灯下，给您写信。您的痛苦，教我好难过。

　　您好些了吗？我可怜的好妈妈，我回到圣莫里斯看到您的时候，觉得好骄傲，您把一切整理得那么好，您尽心尽力为您的两个小女儿建筑幸福。我以前是那样爱您，只是不知道说出来。最近我有许多担忧，让自己变得好封闭。我当然知道我应该全心信赖您，跟您述说我的愁苦，让您能像我还是孩子的时候那样安慰我，那时我有任何难过，全都说给您听。我知道您非常爱这个不听话的大儿子。若您因为我而感到不快，请不要埋怨我，我的日子曾经过得很不顺利。现在我已经熬过来了。我是个天真的人，却是勇气十足。要是您到巴黎来，我会尽量努力做个最孝顺的儿子。您可以住我这儿，比住旅馆好，傍晚的时候我再去接您出来，两个人单独用晚餐，跟您讲我特意为您记住的趣事，您会高兴些。您高兴了，我就幸福了。我不知道为什么不太会打理自己。只有您能摆平一切。我把一切交到您手中，只要您跟上级开口，一切无虞。现在的我好像一个小小孩，依偎在您身边。我还记得您打算去找学监神父，取消我的留校处罚，便果真去找学监神父了……我的好妈妈您真伟大。

　　我的好妈妈，在圣莫里斯的时候，您对我的表现满意吗？我有没有扮演好做哥哥的角色？我那时有点感动。我也替您觉得感动……那是为您的杰作加冕的时刻。您创造了好多好多幸福。

　　我可爱的妈妈，请原谅我曾给您带来的一切痛苦。

　　我要带您去看一出力道强劲的戏。今晚伊芳邀我去看的，我才刚刚看了回来，戏名叫做《家庭第一》，皮埃·昂普的作品。您会喜欢的。

　　晚安，我的好妈妈。请祝福我。好好疼爱我。

安东

第四十九封

勃逊街十二号

我的好妈妈,

多谢您寄来的汇票。我的状况实在很糟,之前因为非搬家不可,多花了钱买礼物给打扫阿姨和门房太太等人……书本、大口箱、军用旅行箱的运费,加上看牙医的三百法郎,医生不给我赊账——我困窘得可怜。我大概很难去看小蒂了。

我有了一个出路:新闻业。但我连一秒钟做采访的时间都没有,真可惜……而我认识的那个人也只能让我写《晨报》"新闻版"上的文章。

我也许明年春天或今年冬天会到中国去,因为那里需要飞行员,或许我会在中国当个飞行训练学校的校长,如此经济状况将大为改观,到时候我想做什么就做什么。

我的办公室越来越阴沉,我的忧郁暗自持续。所以我才想要旅行。

阿娜伊丝姑妈应该在圣莫里斯吧,她真讨人喜欢。我的好妈妈,您觉得回圣莫里斯怎么样?我想在那里和您再见面,过几天清闲的日子。若我真要去中国,出发前应该可以有一个月的假吧?

天气不好。然而我星期天在奥利仍然驾机起飞。这是一次很精彩的飞行。妈妈,我好喜欢这一行。您不能想像人在四千米高空和飞机引擎单独相处的那种宁静和孤寂。还有在地面上和同事们的愉快相处。我们等值班的时候,就躺在草丛里打盹。有飞机回来,大家的目光就跟紧了驾机的同事,听他说他的遭遇。每一个遭遇都令人惊叹。说是飞机在陌生小村落的田野发生故障,爱国的村长很感动,邀请所有飞行员吃晚餐……还有如神话故事般的奇遇。几乎每一次讲的都是当场编出来的,可是大家都听得惊奇不已,轮到自己当班起飞的时候,变得热情浪漫,心中满怀希望。但飞完回来却什么也没发生……着地时,用一瓶波尔图葡萄酒来安慰自己,或是跟大家说:"我的引擎那时候热起来,我的老兄,可真害怕……"其实这可怜的引擎很少发热……妈妈,我的小说已经写好了一半。我真的觉得这部小说很新颖简洁。沙布杭看得眼花缭乱。我让他有很大的进步。

　　和普胡上尉一起生活,真教人喜爱,因为他是全世界个性最好的人。只可惜我们十月十五日要把房子还给人家,另外再找一个地方住下。我们现在有两个地方可以考虑。希望花费不会太高(还好房租本身还算便宜)。您可以给我几件家具和几套床单吗?

　　现在谁在圣莫里斯? 奶奶在哪里?

　　我的好妈妈,我诚心向您吻别。但愿您好好歇息。请跟米玛说我会写信给她。

尊敬您的儿子,安东

第五十封

我的好妈妈，

下个月初我可能会动用不少钱去圣莫里斯过星期天，我一定一点也不会觉得累，而且还会很高兴再见到您和小碧，以及我们的家。妈妈，您写了一封如此温柔的信给我；的确，我有很长一段时间身不由己，这八个月以来，我的生活飘忽，少有安定。别太生我的气。

现在我过得十全十美。我的工作不会太乏味，自己又在进行几个计划。我的小说也一小段一小段地写，路易对之赞赏不已。

蒂蒂应该要给我写信的，虽然说我没有回信，可是没什么关系啊，因为我还没有很多事要说，不过我就快给她写信了……她怎么样呢？

在普胡家和一堆老友亲密聚会。而伊芳一个月以来都在南部，我想她不久就会回来了。

妈妈，您在那里不会太无聊吧？您为什么不回蒂蒂那儿作画、避寒？还好最近几天有点太阳，您也许不会太受冻。

您要我付清大衣的钱？支票月底兑现。我把它给您寄去吗？不论如何，我现在在等四月初的那档事，如果成了，我回您那里时就把钱还您，因为我再也不想多花您的钱了，只是我最近真的很穷，钱都付不出来。

我就写到这里了，我的好妈妈，我向您吻别，如我爱您那样。

尊敬您的儿子，安东

第五十一封

欧纳诺大道七十号之一

我的好妈妈,

满心感谢,您真可爱。您寄来的糖渍水果满是阳光的芬芳。我还没穿您寄来的袜子,可是我不敢穿,因为您选的都是很鲜艳的颜色……

我有点疲惫,但在工作上还是力求完美。本来我对汽车的基本概念颇为空泛,现在清楚确定多了。我想我不久就可以自己一个人拆卸汽车了。

我最可爱的妈妈,等我成了有地位的绅士,您会来巴黎与我同住吗?我现在的房间小得我都提不起劲来好好整理……

我的小说进度有点停顿了,可是凭着时时刻刻的着意观察,我内在的文思有了可观的进步。我还在自我充实。

再过一个月,或者更短的时间,我就可以有闲暇娱乐,过上班族的生活了。(而我现在的生活可是一秒都不得闲。)

我必须要处理车子的事。您可否如您之前给我建议的那样,立刻帮我在里昂银行开户?妈妈,我们在圣莫里斯就说过,要存进一万块,而且这样可能还算勉强,我还要(给车)保险、买衣服,因为除了晚礼服和大衣,我的其他衣服都是从退伍穿到现在的。此外,我第一个月的旅费要月底才付账。况且我也许(应该)要找地方住下吧?

　　但您连一毛钱也没欠我们,所以尽管开口要我寄您想要的东西吧。早点起床应该是个省钱的好方法,因为早上当别人太晚叫我起床时,我只得坐计程车去苏亥斯上班,结果把钱都花光了。

　　妈妈,我很希望有一天轮到我来接济您,好让我能偿还一点您所给的一切。要对我有点信心。我现在像奴隶一般地工作。

　　我好温柔地向您吻别,如我爱您那样。

尊敬您的儿子,安东

　　请注意:我的门牌号码不要弄错(是七十号之一)。

第五十二封

巴黎，欧纳诺大道七十号之一

我的好妈妈，

　　我住在一间阴暗的小旅馆里，好可怜，地址是欧纳诺大道七十号之一真不是开玩笑的。此外，天气坏透了。

　　我很久都没给您写信，因为我要等有天大的好消息了才跟您宣布；之前一切都还未定，我不想给您写虚幻的希望。不过现在差不多可以确定了。我想您会满心喜悦的。

　　我的眼前有了一个新工作，是汽车业①，我将会有：

　　一、底薪：一年一万两千法郎。

　　二、佣金：一年大约两万五千法郎。

　　一年总共是三万到四万法郎，此外还有自己的一辆小汽车，我要用来载您兜风，还要载濛濛。我要到下个星期才能完全确定，所以我星期五左右会先去您那里住一个星期，我们会到别的地方去，不会受打扰。一年以来这是我第一次觉得这么高兴。我会觉得幸福无边，您也一样。

　　倒是我住的旅馆，教我倒尽胃口，不知道要住哪里好。

　　这个工作惟一的麻烦就是要在工厂做两个月的实习，要到每一个部门实地工作，以全盘了解生产流程。我不知道这两个月有没有给薪水。

---

　　①　这封信应写于一九二四年。当年三月，安东进入梭雷汽车公司工作。

108

总之，以后我就是个钱多多的胖先生了。

昨天晚上和普胡在玛伊家。她自从和轩尼斯结婚后，就成了法国大使夫人……她介绍我的时候，说尽好话，用的头衔是："最有才华的文人！"

希濛娜什么时候来？我很想念她。跟她说这个冬天我会用可爱的小汽车载她去兜风……然后要是我有了公寓，我会邀请她到家里吃晚饭（可惜我不住在普胡的公寓了）。

我的好妈妈，我星期三再给您写信，跟您说明这份似乎就要成真的无边希望。如果成了，到时候（我）就去找您，如果不成，您要不要到巴黎来？

我衷心与您吻别，如我爱您那样。

安东

不论如何，我还是很值得享有一点点幸福的，我可以向您保证！

第五十三封

巴黎,欧纳诺大道七十号之一

我的好妈妈,

　　我终于心满意足了。我已经有一份大好的工作摆在眼前。我看过三个省(阿利业省、榭何省和科兹省)送给我的资料,条件都很不错;其中我最中意梭雷公司,那里很适合我。

　　我的实习终于要结束了,并不无聊,只是很累人,又要全神贯注。我明天起要到最后一个部门——维修和业务部工作。我跟全公司的人都处得很好。和亲切热心的业务部同事也相处融洽。我的生计问题终于获得解决。

　　我有一点,就那么一点点想结婚,可是不知道跟谁。但我对这种总在假设中的生活已经感到非常厌烦! 我很有父爱。我很想生几个小安东……

　　不管怎样,如果现在我找到合适的女孩,以我目前的工作,我有能力向她求婚。

　　我的身体非常健康。看来,在工厂的实习,反而让我得到休息。我不适合在窄小的办公室工作。

　　妈妈,我的生活中也有一件乐事:我有些很不错的朋友,好到您无法想像。此刻亲切如同传染病一样,感染了他们每一个人。彭维总不停给我打招呼,沙列斯写给我的信,流露深刻的友谊,让我很感动。谢耿是个大好人。索辛兄弟是守护天使,更不要说伊芳和玛碧了……

　　妈妈,玛碧遭逢了不幸。您一定要给她捎封短信。她刚刚失去她那七个月大的女儿。那时她丈夫刚好离开法国,准备在美国待三个月。她现在正在去美国和丈夫会合的路上。如果您给她写一封简单的问候信,她一定会很感动,您也知道该怎么写的。在我有困难的时候,她真的给过我适切的帮助。请看在我的分上,给她写封信吧。

　　我和一位中学同学重逢。他现在是海军士官,变成一个很有修养的人,见多识广,判断力强,是我的上好参谋。我们一起参加文艺活动,去看戏剧或展览,然后交换意见。他对一般事物的看法非常明晰、正确而灵活。我很高兴。

　　希濛娜在信仰的道路上成长苗壮。她考试拿了第一名。而且参加考试的不只她一个。结果她现在都睡到中午才起床。

　　我得知米玛身体好转,觉得很高兴。我和她的短篇小说①要等到我实习结束才能打好字,因为我一天工作十三个小时已经够累了,但请您跟她说马上会好。

　　我要停笔了,我的好妈妈,已经午夜十二点了,我明天要六点起床。很温柔地向您吻别。

安东

---

　　①　安东的大姐米玛也热爱创作,著有一本花草动物的故事集。

第五十四封

我的好妈妈，

我本来很想去投票的，可是我那个星期天难得有机会在飞机上拍照，好布置住的地方。我拍照的时候在想：我要拍到让我住的地方可以成为一间小公司，专门给工厂提供飞机照片，我来当老板，步步为营。这我可不能错过。

目前我天天都在巴黎闹区消磨，我住的是一间简陋的小屋。我的朋友来这里拜访我，我还严肃庄重地和成千成百的访客谈话。您要是看到了，会笑出来的。

贾克舅舅放儿子从军去。他离开的时候不怎么兴奋。当兵对他有好处的。那时我最喜欢的就是二等兵的生活，以及和军中技士、同党弟兄的美好情谊。连那间有人哼着悲伤歌曲的禁闭所我都喜欢。

我的小说一页一页地完成了。我打算下个月初左右去找您，给您看。我相信这部小说实在是前所未见的。我刚刚写完我认为最好的几页。

我的好妈妈，您如此亲切地款待我的朋友，教我好感动。我没能好好感谢您，请您原谅我。

我的身体好，我的朋友亲切。我能有这些，真是天赐的福分。我好想有一层公寓可以接待我的朋友，让自己舒服些，制造柔和的亲昵气氛。妈妈，我住不下这间发了霉的房间，浑身不自在。

还有：这里太热了，是另外一种痛苦。您怎么会喜欢太阳呢？妈妈，大家都在流汗，好可怕。

圆墩墩、乐观的阿娜伊丝姑妈现在和我每周三吃一次午餐。巴黎的所有餐馆我们一间一间地去。我带她去小酒馆，她也很高兴，我们聊政治、文学、上流社会。我们好像一对情人。

就是这样了，我的好妈妈。我那一天还想跟您说，我觉得圣莫里斯很好，总想赶快再回去。我会尽量把假期安排在跟您的女儿蒂蒂一样的时间。我也好想请您寄一大篮樱桃给我。可能吗？这样会让我好开心！妈妈，我的朋友对您招待时的体贴尊重，都很感动。

我很轻柔地向您吻别。

妈妈，我好爱您。

安东

第五十五封

我的好妈妈，

伊芳开车带我到枫丹白露去。散步得很愉快。我在谢耿家吃晚餐。

X回摩洛哥了。以下是我教育学生的成果：

他给我写道：

"……你跟我说的我都懂了。我原来搞不清楚的地方，经你教过，现在也清楚了；你启发了我，因为你知道如何思考，如何简单明了地表达自己的想法，……

"……想到你对我的教导，还有你让我获得的进步，我……

"……那天跟你说话的时候，我屡次感觉到，如果我想提升自己，向你看齐，需要付出多少努力……

"……你可知道我有多钦佩你，不论是你在过程中的努力，或是最后的成果……"

我有点想要藉着让他和外界有所接触，将他塑造成一个人。我对于自己对教育思考的理念获得成功颇为自豪。一般的教育体制什么都教，就是没有教如何思考。教写字、教唱歌、教能言善道、教人如何感动，却从来没有教如何思考。大家被文字带着走，而文字却会误导人的感受。我要教他做人的道理，而不是教他书本上的知识。

我注意到当人们滔滔不绝或字字不歇地表述思想时，不过是要做些刻意的推论。他们像使用计算机那样使用文字，好得出一个正确答案。真是愚蠢。不该学习如何推论，而要学习如何不再推论。要了解事物，不需要透过一连串的文字，文字会扭曲一切：人们总是那么相信文字。

我的教学方法越来越明确，可以著作成书了。这种方法，对于一个惯于表现的人来说，内心会很痛苦。一开始的时候要来场震撼教育，先将学生的所有都剥光，证明他什么都不是，就像我对 X 那样。

我讨厌那些为了自娱而写作的人，他们尽是寻求技巧。要写作，就应该以文载道。

所以我先教导 X，跟他说明他所写出的文句是如何地造作和无用，不是他修辞不够，因为几乎没有要修改的地方，而是看待事物的角度不够宽广，基础不够扎实，他在要开始写作之前，需要改变的不是风格，而是他的内在——他的智识和他的看法。

我先让他从厌恶自己开始，这是苦口良方，我是过来人；后来他终于发现看待事物和了解事理可以有不同的角度，这时他才能有所作为。他对我感激不尽……

我要停笔了，时间到了。

我衷心向您吻别，如我爱您那样。

尊敬您的儿子，安东

第五十六封

我可怜的好妈妈，

　　蒂蒂给我写的信，我看了非常担心。我没有想到会这么严重，您要不要我去？我可以星期六出发，而且我也想脱离目前的处境，重新安顿身心；我还要在里昂待几天办事。

　　这场病怎么会发现得这么突然？

　　如果您要我去，只消写个短笺给我。至于小碧要的变色龙，如果我不能自己带给她，无论如何也会在星期六寄给她。

　　我写到这里了，我的好妈妈，我用尽全力向您吻别，还要跟米玛、蒂蒂和希濛娜吻别。

安东

第五十七封

我的好妈妈,

我收到您的信就放心了些。那天晚上希濛娜刚刚打电话告诉我坏消息。后来我就给您拍了电报。还好我现在不那么担心了。

我可怜的好妈妈,您什么时候才愿意休息一下? 您不想去亚贵或是到这儿来过几天吗? 天气不是很好,但又何妨?

我是在我的办公室给您写信。我正在拆阅未来客户的资料。这个月我要出差到蒙吕松。希望生意能够谈成。我很喜欢我的工厂,要是您的心情能平复,米玛的病能好转①,我就百分之百幸福了。您如此担心,真叫人难过。我星期天在奥利驾飞机(后来我有一只耳朵就几乎聋了。不过慢慢开始恢复了)。等我有钱了,我要有一架自己的小飞机,驾着它到圣拉斐尔去造访您。

昨天晚上在贾克舅舅家吃饭。他们是全世界最好心肠的人。有个俄罗斯小姐给我抽了一张牌,预卜我将来会认识一名年轻的寡妇并且和她结婚②。这可教我吃惊得很!

再见了我的好妈妈,我衷心向您吻别,如同我爱您那样,还有米玛,我也爱她。

尊敬您的儿子,安东

---

① 此信应写于一九二四年。安东的大姐米玛于一九二四年罹患急症,两年后病逝。
② 安东后来于一九三一年迎娶的康绥萝,恰恰也是寡妇。

第五十八封

我的好妈妈，

我只祝您新年能快乐一点就好，这对老天来说应该不难才是！

假使能再见到你们，再回南部，再看到蒂蒂、米玛，特别是再看到您，我会欣喜若狂。但是另一方面，我抢先第一个付了两百五十法郎的房租，又还了五十法郎的钱，自己口袋里只剩五十法郎，实在过于放纵。我的好妈妈，我敢跟您说，我好不容易这么节制，做了好大的牺牲，只因我很后悔自己总为您带来如此负担，起码不要让您花钱付旅费。

只是我很难过。我还没有勇气决定要留下来；如果真的决定了，会更难过。可是啊，我的好妈妈，如果我回南部去，等我要回来的那天，就又要跟您拿钱了，而说实在的，我也要过日子，用您寄来的汇票，至少可以付清我的房租！我实在不喜欢跟您要钱。

我的好妈妈，我实在很讨厌自己无法维持自己的生活。所以我觉得如果只为了自己高兴，和你们在一起两天，要花三百五十法郎，不怎么值得。

我温柔地向您吻别。

尊敬您的儿子，安东

第五十九封

留局提领,蒙吕松

我的好妈妈,

我来到了蒙吕松这个步调和缓的城市。我发现这里的人晚上九点就都睡了。我明天开始工作。尽管业务有点停滞,还是希望工作能够顺利。不要为了我写给蒂蒂的信生我的气。那封信是在心情极度沮丧的情况下写的。您给我提到的几个女孩,我都把她们当朋友。我以为能在某人身上找到什么,却找不着,这样的痛苦我再也不能忍受;当我发现原来我以为有趣的思想不过是个容易拆解的机制,就觉得失望。我开始觉得厌烦。然后我会生这个人的气。我摒弃众多人和事物,实在是出于无可奈何。

我在这间外省小旅馆的小小客厅里,对面有一个自以为英俊潇洒的男子正在滔滔不绝,我想他应该是某个葡萄庄园的主人。他的谈话没有内容,废话连篇,而且又很大声。这种人我也不能忍受,要是我娶了太太,然后发现她喜欢和这些人来往,我会成为天底下最可怜的男人。她只能喜欢聪明人。现在要我去 Y 家已经完全不可能了。在那种场合我根本开不了口。要有人教我什么才行。

我跟您提到有关 X 的事,不应该让您不高兴的。我对这种错误的教育方式根本不屑一顾;只是拼命找寻所有最能误导人的情感藉口、所有热切求取感觉的共同点,但却不是真的好奇,没有一点价值。只对刺激感官、能形成某种风格的书或者情景有所记忆。那些在化装舞会上扮成剑客、感觉自己拥有骑士风度的人，我不喜欢。

　　妈妈，我比那些人还了解我的朋友，他们很喜欢我，我也很喜欢他们。这足可证明我还是有某种价值的。对家人来说，我仍旧是个肤浅、多话、追求逸乐的人，但现在的我只追求学习的快乐，不能忍受夜半舞会的扰嚷，我不再开口，因为交谈的内容都是废话，让我感到好生无趣。您不必要我点破他们，因为那样也是多余。

　　我自己原来的样子，和我竭尽所能做到的样子，迥然不同。我只要您知道这一点，也能尊重我一些，就够了。您误解了我写给蒂蒂的信，我要写的是厌恶的感受，而不是轻浮的态度。当我心情厌烦时，晚上就会变成那样。每晚我都会做一日评量：如果当天个人所学乏善可陈，我对那些让我失去学习机会的人、让我付出信任的人，可不客气。

　　也不要因为我几乎没有写信就生我的气。日常生活压根儿不重要，一天一天都那么相似；内在生活又很难一语道尽，如果真的要说，会有点儿不好意思，太自命不凡了。您不能想像内在生活对我有多重要，那是我惟一在意的事，可以改变所有价值观，甚至可以改变我对别人的看法。如果只是一时轻易的感动，就说我是"好"人，于我完全无所谓。要认识我，就要看我写的东西，那是我的所思所见经过雕琢熟虑后的成果。在我安静的房间或小餐馆里，我才能怡然自处，回避一切形式和文学伎俩，用心表达自己，这样我才觉得诚实无欺，是有意识地在创作。我再也无法忍受刻意刺激或扭曲视觉，以引发想像力。我曾经喜欢好几个作家，他们轻而易举地就使我的精神得到快乐，有如咖啡馆演奏会里那些惹您厌恶的旋律一般，现在我实在看不起他们。说真的，您也不能要求我总给您写那种恭贺新年的样板信。

　　妈妈，我对自己算是严格的，我自己需要改变或修正的地方，当然也

120

有权利要求别人改变。

　　我的好妈妈，我真的打心底爱着您。要原谅我总把一切藏在心里，不容易表现出来。我只能尽力而为，有时甚至觉得有点笨拙。很少人能说他真正知道我的心事，能说他有一点点了解我。您真的是知道我最多心事的人，对于这个在 Y 眼中多话又肤浅的家伙，您知道一些他的另一面……要向所有的人展露自己，几乎要丧失自己的尊严。

　　妈妈，我发自内心深处向您吻别。

安东

第六十封

我的好妈妈，

我刚回到巴黎欧纳诺大道七十号之一的住处。经过蒙吕松的时候，我收到两封已经寄到的信。妈妈您真是太好了。希望我也能像您一样。

我的好妈妈，在这两个星期的旅行之中，就我自己一个人，也没有给您写信，等我回来到邮局领信时，心里就想：没有其他人的来信会比您的更让我高兴了。我趁着两班火车的空当，到一家外省风味的小餐厅里，读您写来的两封信。妈妈，尽管我很少表达，也表达得不好，我还是得跟您说，我有多敬佩您、有多爱您。您的爱，叫人好安心，我想这要花很长的时间才能了解。妈妈，我要一天一天地去了解；您为我们所做的付出，应该要得到回报。过去我让您饱尝孤单了。我要成为您的好朋友。

我去看了许许多多的外省小城，搭迷你小火车，上小咖啡馆，大家在那里玩纸牌。沙列斯星期天到蒙吕松来看我，他真是个亲切的老朋友！我们一起到当地一星期开一次的舞厅"Dancing"去跳舞，在那里，小姐们的妈妈排成一个方块，把自己的"闺女"围在中间：她们一身粉红或宝蓝，和商店老板的儿子们跳舞。我认识了一位小提琴拉得很好的乐师，他从前在科隆音乐厅演奏过，但他现在在蒙吕松默默地工作。沙列斯和我都很迷他。

我也认识了另一个有类似遭遇的人，他因为亲人亡故，就退隐到外省,什么事都不做,也不再看书。杰尼耶斯说他们自断生路。我们一起玩棋,后来他带我去他家,乱得不得了。真可惜。他以前图画得很好的。您的画呢?

　　妈妈,我用力与您吻别,您来看我吧?

安东

第六十一封

我的好妈妈,

我的手指因为开车,都冻僵了。现在是午夜。我刚刚把帽子丢在床上,觉得好孤独。

我回家的时候收到您的来信,给我作伴。妈妈,您可能会在心里想,我总不写信,脾气又差,您再温柔也没有用。但我想给您写的,都是难以表达的事,我从不知道该怎么说,不过却在内心深处,如此地确定、没有间断。我那样地爱着您,仿佛从来没有爱过别人似的。

我跟艾斯科去戏院,看了一场烂电影,虚情假意,没有伏笔,我不喜欢,夜晚时出现的人潮也让我难以忍受。不过,那是因为我独自一人。

我因为车子出了点问题,临时住在巴黎。到的时候像个刚从非洲回来的探险家。我拨了几通电话,给我的友谊作户口调查,结果这个有事,那个不在。他们的生活照旧,我却乍然来到。艾斯科一个人生活,我跟他打了招呼,然后就约好一起看电影。不过是如此。

妈妈,我的妻子要能抚平这股焦虑。就是因为这样,我才这么需要娶妻。您很难了解我的心情有多沉重,觉得年轻竟是如此无用。您无法了解一个妻子能给的有多少。

我一个人在房里太孤单。

妈妈,您不要以为我有着克服不了的忧伤。每当我打开房门,丢开帽子,觉得一天就在指缝中溜过的那一刻,总有同样的心情。

如果我每天都写,应该会快乐一些,因为至少留下了什么。

没有什么能比听到人家说"你真年轻"更让我心情振奋的了,因为我好需要年轻。

我只是不喜欢像 S 那样容易满足、不再求进步的人。人不应该安于现状,但我又害怕婚姻。要看是跟谁结婚。

外面天寒地冻。从窗户玻璃透进来的光线很冷。我觉得街上即景可以拍成一部很美的影片。拍电影的都是笨蛋。他们不懂怎么看。他们甚至连摄影器材都不懂。我认为要让影像扎实,只要拍下十个表情和动作就够了,但他们却做不出这种接合技术,只会不停地摄影。

妈妈,我想要提起劲来工作。我有很多话要说。只是到了晚上,我卸下一天的重担,就上床睡了。

我不久又要出门了,不知道会是什么时候,我大概会去换车子。

我用我全部的温柔向您吻别。我并没有到"进退维谷"的地步,但您还是可以祝福我吧。

安东

第三篇 从"土鲁斯—达卡航线"
展开的飞行生涯

二十七岁至三十岁的安东

一九二六年,安东进入拉德科艾航空公司服务,成为土鲁斯—达卡航线的驾驶员。这个工作对安东的写作生涯产生很大的影响。当时在飞行生活中的种种体验,在他往后的作品中都可见到端倪。

一九二七年,安东接受派任,担任朱比角航线站长,此时的生活经验,让他有了写作《南方邮递》的灵感。

一九二九年,安东受命为"阿根廷空中邮递"的总经理。这一段经历则促成他后来创作《夜间飞行》及《人类的土地》。

第六十二封

土鲁斯

我的好妈妈，

最近几天我会赶到摩洛哥去，所以请不要过来，我随时都有可能离开，也许就是明天。

我借了一千块，但是已经花掉大半。房租要先缴，又买了修理飞机的工具等等。您可否电汇一千法郎给我，我下个月底再还您（冬季每月我可领四千法郎）。如果您没有这么多，能寄多少就寄多少。我可能明天就要离开，也有可能五六天后离开，不过我已收到通知必须随时待命。我现在身上只有几百法郎，到了摩洛哥会很不方便……

我现在在土鲁斯负责验收飞机，几次试飞的经验都很好。同事都既亲切又风趣。

明天我再给您写封长信，因为我现在很想睡。我飞了很多回。五分钟前我才停下来给您写这封短信，因为我一想到就要离开了，身边还没有钱，就觉得有点心慌。我以为我会在土鲁斯待上一个月的。

我好温柔地向您吻别。明天见。

安东

第六十三封

土鲁斯

我的好妈妈,

我之所以跟您要钱,是因为就要出发了,身上却没有一块钱,真的觉得很麻烦。

我也请您不要现在过来,因为如果彼此错过就太冤枉了。

不过建议您再等两星期,不妨带着粉彩和新画布,到土鲁斯和我会合,还要带大围巾和暖手笼来。我要带您去阿利岗,一个西班牙的小村庄,离这里很远(开车要八天才能到)。到了那里,我会将您安顿在飞行员宿舍,或是另一个类似的地方,由我来付钱。您可以在阳光下歇息两星期,画海边美丽的夕照。每隔三天,我会陪您一个下午。等您休息够了,我就带您回法国。请您现在就去办到西班牙的护照(要跟市政府申请)。

我有点无聊,此外一切都好。

我好温柔地向您吻别,如我爱您那样。

安东

第六十四封

土鲁斯

我的好妈妈,

我破晓时要出发往达卡去,很高兴。我会领一架飞机到阿卡迪,再从那里搭飞机回来。我给您写了两封信,都没有收到回信,我想您是把信写到那边去了。但愿那边有信等着我。

这是短程飞行,全程五千公里……

我的好妈妈,离开您我很难过,但是,您可知道,我正在稳固自己的经济基础。希望我下次回到您身边时,已经是个可成家的男人。总之,几个月后,等我能请假,就会回家,也终于可以请您吃顿饭。

我的好妈妈,我要离开您了。我的头好痛,好多箱子、行李要打理,堵塞了我的思路。

如果您读到什么好书,不妨寄几本给我。我又开始写作了①,我要投稿到新法文杂志去。

我的好妈妈,我温柔地向您吻别,如我爱您那样。

尊敬您的儿子,安东

---

① 一九二七年,安东被任命为朱比角中途停靠站的站长。开始撰写《南方邮递》。

第六十五封

我的好妈妈，

我到达卡了，出来觉得好高兴。我终于亲眼目睹了这些可怕的摩尔人……他们穿蓝色的衣服，头发又长又卷，样子真是奇怪！他们到朱比、阿卡迪、到西斯奈洛庄园去看飞机。他们在飞机前面停留好几个小时，静静地观看。

旅途顺利，不过有一次故障，飞机坠落在沙漠上。一位同事前来搭救，把我们带到一个法军设的小堡垒，我们就在那里睡了一晚。堡垒遗世独立，管理的中士有好几个月都没有看过白人了！

我只给您写这一点点，马上就要送信了，现在不寄的话，还要等一星期。达卡这个地方景色很难看，除此之外，这条航线沿途的风景都很美。

我很温柔地与您吻别。以后我每逢送信时间都给您写封信。我二十四日才开始飞这条航线，我要努力博交广识。

尊敬您的儿子，安东

第六十六封

我的好妈妈，

我二十四日才要启程送信。从现在到二十四日之间，我在达卡的生活应该还过得去。我到哪里都让人招待，人家甚至要我跳舞！如果不是来到了塞内加尔，真会没完没了。

天气热得刚好，可是我还是比较偏好法国的冷。这种温度很奇怪，虽然不是很热，却会流汗；永远不知道要不要多穿一点。但是我现在的状况是再好不过了。

我有一个月没有收到您的来信了，可是这阵子我常写信，所以这教我很难过。如果在这里收到您寄来的只字片语，会让我觉得很亲切，我的好妈妈，只因为您是我心中无尽的温柔。当我远离他乡，才知道友情可以遮风避雨，您的来信和对您的想念，可以治疗我的忧伤。我的桌上摆着您那幅幽暗的粉彩画，还未成枝的榛树枝芽，让光线照下来，使我满心喜悦，还有我熟悉的那张您微微欠身的照片。三年来您写给我的信，都放在一个抽屉里。

我总是这样写：请转到圣莫里斯，从不知道您的住址。我想信应该不会因此迟到太久。您是否可以把地址给我呢？

寄海运要花的时间吓人。请您写上"土鲁斯拉德科艾航空公司转寄至……"即可，如果您要寄包裹给我则另当别论。您将包裹用空运寄到达卡，然后要到邮局问费用，我不知道土鲁斯有没有免费转寄包裹。

请给我写一些家人的消息，家里好不好，姐妹们过得怎样。

我好温柔地向您吻别，如我爱您那样。

安东

第六十七封

我的好妈妈，

我温柔的蒂蒂，

我可爱的皮耶，

我给你们大家写了一封信。没有什么比家更温暖的了；我给我的家捎了一封信。

我的飞机故障，借住在塞内加尔的黑人家。我把果酱给他们，让他们大为惊奇。他们从来没见过欧洲人，也没有看过果酱。当我躺卧席上之际，全村的人都前来探视。有一次在我的小屋里就有三十个人在……睁眼看我。

我凌晨三点的时候，在月光下骑着马、带着两个向导离开，感觉很像"老探险家"。

蒂蒂和皮耶，请准备好一个孵蛋器。我打算两周后空运几个鸵鸟蛋给你们。鸵鸟很可爱，养起来也很容易：可以喂手表、银器、玻璃碎片、贝壳纽扣，只要是会闪闪发光的它都吃。

妈妈，您找人占卜那件事是怎么搞的？您想我会骑摩托车去撒哈拉沙漠做什么？对此您竟然一点都不怀疑！去沙漠可不像去布隆尼森林那般简单。占卜是最最愚蠢的行为；我不希望这种愚蠢的行为扰乱了您。

多谢您寄来的书。

我跟你们吻别，像我爱你们每一个人那样。

安东

第六十八封

我的好妈妈，

我想您大概是在圣莫里斯，我也不太确定。我想再见到您。我有点想家。可是什么时候我才可以再见到您？

达卡的气温一直都还能忍受，我也很好。来回送信很有规律，一趟接着一趟，却是我生活中惟一有变化的时刻。达卡是各省当中最富裕的地方。

您好吗？有个可爱的家庭、有个外甥、有您，真幸福。这里的人实在很闷，什么也不想，既不悲伤，也不高兴。塞内加尔把他们抽空了。我渴望遇见会思考、有欢笑、有痛苦、有友情的人。

这里的人想法好晦涩。

这里是个让人失望的地方，没有规模，像摩洛哥一样，没有过去，没有制度，是个衰落的国家。不要对塞内加尔存有幻想！

一天之中，没有一个小时让人觉得舒服。没有破晓，没有晚霞……一整天都阴沉沉的，到了晚上，天气一样潮湿。

在有人的地方，流言蜚语传得比在里昂还难听。

我要停笔了，我会把这封信带去和其他邮件一起送。

我向您吻别，如我爱您那样。

尊敬您的儿子，安东

第六十九封

达卡

我的好妈妈，

我有一封您的信，上面却没有地址。我没有什么大事要说，不过就是我像个年轻舞男那样跳着舞，还有就是我现在写的这封信，明天由我当班送到朱比。

达卡几乎没有什么改变。要寻找像里昂那样的广大郊区，实在没有必要深入非洲内部……

我只希望等我从朱比回来以后，可以和同事一起到内陆做小探险，去捉鳄鱼。应该会很有意思。

可是我最大的安慰就是我的这份职业。

我为《新法文杂志》写一个长篇。可是我的故事写得有点笨拙。等写完了，我会把它寄给您，征询您的意见。

我只给您写一点点，因为我脑袋空空。这个国家什么作用都起不了。在这里连离家遥远的感觉都没有。但我倒是希望您能固定有我的消息。

我温柔地向您吻别，如我爱您那样。

安东

第七十封

达卡

我的好妈妈，

　　这个星期给您写封短信，要您放心。我过得很好，也很快乐。也要跟您说我一切的温柔，我的好妈妈，您是这世上最温柔的幸福，您这个星期没给我写信，我好担心。

　　我可怜的好妈妈，您离我好远。而我思念孤单一人的您。我真希望您到亚贵去。等我回去，我要成为标准的好儿子，邀您吃晚餐，尽量让您开心；您每次到土鲁斯来，我都觉得非常困窘又难过，因为我什么也没能帮您，也不知道要体贴。

　　可是，我的好妈妈，我要告诉您，您在我的生命中，布满了温柔，没有人能像您那样。想念您的点点滴滴，最能"透心凉"，唤醒最深沉的我。您的一衣一物都能让我满心温暖：您的大围巾、您的手套，包裹的是我的心。

　　请您相信我拥有美好的生活。

　　我温柔地向您吻别。

安东

第七十一封

达卡,一九二七年

我的好妈妈,

我想您现在应该已经到南部了,我真为您觉得高兴。

我在这里幸福得不得了。我给您寄了一张我的小照,照片里的我温柔腼腆又迷人。看起来像个处子。

达卡是个偏僻的地方,今天晚上大家都跟我说……我订婚了。

我竟是惟一不知情的人。这里的人不能跟自己的爱人和未婚妻以外的人出门,叫人有点哭笑不得。

我手边有一张您的包裹通知,明天我会去邮局领回。您真是可爱。因为明天我要送信,所以打开包裹之前,先写信告诉您。

我很温柔地向您吻别,如我爱您那样。

安东

另,没人写信给我!

第七十二封

艾提安港

我的好妈妈，

　　我中途停靠艾提安港，从这里给您写信。在这片沙漠之中，恰恰有三间房子。十五分钟后我们就要离开。

　　上个星期我猎了头狮子。我朝它开了一枪，让它受伤，没有把它打死。不过我们一伙人倒是猎杀了一大批其他野兽，像野猪、豺狼等等。在毛里塔尼亚的撒哈拉沙漠边境开车绕了四天。我们好像坦克车那样通过荆棘树丛。

　　有一位摩尔族的酋长邀我到布底利米去，这对航线的发展也许有帮助①。

　　他很可能带我潜入敌境。多么奇妙的探险！

　　我过得不错。濛濛怎么样？我那时要先回余贝舅舅的信；我会寄邮票给她的。

　　在这气候一向温和的撒哈拉，天气却热得吓人。可是到了晚上，所有的东西都会渗水。这是本地的一个怪现象，却很吸引人……

　　我的好妈妈，我向您吻别，如我爱您那样。

安东

---

　　①　安东和当时著名的几位飞行员一起工作，开拓航线。

第七十三封

我的好妈妈，

您知道吗，我临时接到通知，要在短短几个小时后出发，我匆匆忙忙地整理行李，没有时间写信。

现在我是朱比角停机坪的领班，过着如僧侣般简朴的生活。身体健康。有几架飞机要试飞，还有一大堆的表格要填写。对于正在复原的我，这样的工作再适合不过了。

我昨天抄录了一份本地的地形图清册。由于这块地不是法国属地，我去抄录的时候身边还跟着一位摩尔族酋长的侍卫。等我在这里认识更多友好人士之后，希望能在四处多走走。目前我偶尔划划船，呼吸海边清新的空气，和西班牙人下棋，我举棋惊人，节节获胜。

您好不好？您在孔勃勒吗？我温柔地向您吻别，如我爱您那样。

安东

第七十四封

朱比，一九二七年

我的好妈妈，

我在这全非洲最偏僻的角落，隶属西班牙的撒哈拉沙漠中间，过的是怎样的生活啊！海滩上有一座碉堡，我们的小屋就依偎在碉堡旁，除此之外，方圆百里不见人迹……

涨潮时，海水会把屋子整个淹没；夜晚，我双肘支在加了监牢栅栏的屋顶小窗边——因为我们身处异域！海水就在窗下，近得像在船里看海一样。整夜都听到海水拍打屋墙的声音。

屋子的另一面通往沙漠。

屋里一无长物。一张木板加上一块薄垫子，就是床，还有一只浅盆，一个水罐。忘了提几样点缀：打字机和停机坪的文件。好像一间苦修房。

每星期都有飞机经过，之后三天很安静，没有飞机。我的飞机起飞时，感觉好像小鸡倾巢而出，一颗心悬着，一直等拍来的无线电报说，他们已飞过应停靠站有千里之远，我才整装出发，找回迷途的飞机。

每天我都送巧克力给那一窝顽皮又可爱的阿拉伯小孩。我很受沙漠孩子的喜爱。这里有一些个儿娇小的温良女子，神态有如印度公主般高贵，小小动作都流露出母爱。我身边有一些老朋友。

有一位伊斯兰隐修士每天来给我上阿拉伯文课。我学写阿拉伯文，已经会写一些了。我送给摩尔族的酋长上等的好茶，他们就请我到

142

两公里外的帐篷下饮茶，以为回报，那里还没有任何西班牙人到过。以后我可以到更远的地方。而且我也不用害怕，因为他们已经开始认识我了。

我侧卧在酋长的地毯上，透过帐幕的缝隙，看着这片高起的宁静沙漠，这块隆起的土地，酋长的儿子们赤着身子在阳光下玩耍，骆驼就拴在帐篷边。于是我心里有了一个奇怪的感觉。不是疏远、也不是孤立，而是一种稍纵即逝的感觉。

我的关节风湿没有恶化。比起到这里之前要好了些，不过复原得很慢。

您呢，我的好妈妈？在另一块沙漠上①，您和其他您收养的孩子好吗？我们两人的一切距离都那么遥远。遥远到我以为自己人在法国，和家人一起生活，与老友重逢；我以为我在圣拉斐尔野餐。每月二十日的早上，从加纳利群岛来给我们补给的帆船到的时候，我打开窗户，地平线上张起一块又白又漂亮的帆布，好像新布那样干净，装点了整个沙漠，教我想起大宅院里最隐密的房间——洗衣房。我想起那些整理房间的老女佣，一辈子都在熨白色的桌布，再把它们叠进柜子里，闻起来香香的。我的这块帆布轻轻地摇曳，仿佛一顶熨得服帖的布列塔尼帽，但这也只是短暂的轻柔。

我豢养了一只变色龙。我在这里的角色就是豢养②。这两个字很美，很适合我。我的变色龙看起来像一种远古时代的动物。像梁龙。它

---

① 指的应是拉颂姆地方的一个小村庄。此地于一次大战时被毁，安东的母亲在当地发起慈善事业，接济灾民。

② 这个动词原文为 apprivoiser，在《小王子》一书当中，描述小王子"驯服"了狐狸时，作者使用的便是同一个字眼；或译为"收服"、"豢养"。

的动作非常缓慢，几乎跟人一样小心谨慎，经常陷入长久的沉思。它可以好几个小时保持不动。这变色龙仿佛是从夜里来的。晚上我们两个一起做梦。

我的好妈妈，我向您吻别，如我爱您那样。请捎封短信给我。

安东

第七十五封

我的好妈妈，

我身体还算健康。只是我想明年自己必须到艾克斯休养一阵子。除此之外，单调的阳光照在不停翻搅的海面上，这里的海洋从未风平浪静过。

我看了一些东西，决定要来写一本书。我已经零散写了一百多页，正在烦恼要怎么组织起来。我想写进去的东西和观点太多。我在想您会有什么看法。

万一我这两三个月内能回法国待上几天，我要把稿子给纪德或费南岱看。

我开始和西班牙人一起探测内地，计划扮成游牧的摩尔人，游走各处。我一开始只谈小规模的驱逐行动，以免打草惊蛇，之后再扩大范围。要多采取缓兵之计。不过我还不知道现在总公司对这个策略的看法。以前他们是赞成的。

总之，至少还要等一个月，因为附近还有战争。

我忧伤地想着圣莫里斯；尽管对海就要觉得厌倦，我还是会想起亚贵！法国的甜美，常在我心。

我温柔地向您吻别，如我爱您那样。

安东

另，等我一到卡萨，就给您寄上新年贺礼。

第七十六封

我的好妈妈，

我过得不错。日子平平淡淡，没什么新鲜事。不过还是有一点小骚动，因为这里的摩尔人怕有其他摩尔部落要来攻打，所以正在备战状态。碉堡仿佛一只温驯的狮子，并不怎么慌张；但一到夜晚，每五分钟就发射火箭，好像剧院里的灯光，把沙漠照得灿烂辉煌。就像每次摩尔人的大战一样，这次的结局大概也不例外：给对方掠走四只骆驼、三个女人。

我们雇了几个摩尔人和一个奴隶帮我们做工。这可怜的奴隶是四年前从马拉开希掳来的一个黑人，他的妻小都还在那里。这里并未禁止蓄奴，摩尔人把他买下来，为他们工作，每星期领一次工资。等他体衰力竭，不能工作了，就任他自己死去，是这里的一贯做法。因为是流亡人口，西班牙人也莫可奈何。我想偷偷把他用飞机载到阿嘎第去，可是这样一来我们两个都会被杀。要两千法郎。要是您知道有人反对这种现象，可以请他把钱寄来给我，我就帮黑奴赎身，把他送回他妻小身边。他是个善良人，境遇却如此可怜①。

我很想跟你们在亚贵一起过圣诞节。亚贵对我来说是幸福的象征。我待在亚贵偶尔会觉得有点乏味，但那是因为在那里太幸福了。如果我下星期可以去卡萨布兰卡的话，我要给他的小孩买本地上好的织毯。他

---

① 这名可怜的黑奴，显然给了安东一些写作的灵感。后来在《人类的土地》一书中，他创造了一个名为"巴克"的奴隶。

们好像需要这个。

今天天气阴暗。海、天、沙，含混不清。景色一如远古时代的沙漠。偶尔有海鸟发出尖锐的鸣声，教人惊讶这里也有生物的足迹。昨天我在海边沐浴，又做了拆卸工。我们收到一个两千公斤的包裹，用船运来的。送包裹过沙洲、抵达海岸，再将之卸下，这一路真是非同小可。这是我之前订的大型驳船，我以曾为海军专校候选生的自信，订了这艘船，像洗衣船那么高，船身细长。我有点晕船，因为我们几乎在海上翻筋斗。

我不需要什么东西。我坚持过简约的生活。我送茶叶给摩尔人，到他们家拜访。写一点东西。我开始写一本书了。现在有六行。一直没有新的进展。

今晚是圣诞夜。在这片沙漠之中，我真的一点感觉也没有。这里的时间没日没月地流逝。在这样的环境里过日子真怪。

我温柔地向您吻别。

尊敬您的儿子，安东

第七十七封

我的好妈妈,

九月一日以前我都不能回去。有很多原因。到时候我会请假。千万不要写信给苏杜,也不要去找马希密求他给我帮忙。这样走后门,会让我被别人看低,因为我已经够大了,可以自己跟主任提出要求。一件当他面就可以轻易达成的事,却要背着他进行,他会觉得莫名其妙。

这个地方我越来越觉得无聊。撒哈拉的这个角落,两百多人坚持不退让,一起在碉堡里生活,足不出户。只有最下贱的摩尔人才会到这里来。稍微有点尊严的摩尔人,决不接近基督徒。这撒哈拉的后台,点缀着几个临时演员,像个脏乱的郊区那样使我厌倦。

也许哪一天,我可以搭救飞机故障的同事;只是好几个月以来,飞机飞过这附近,都快速敏捷,相安无事。

您可读过玛格丽特·甘乃迪的《忠心仙女》? 很好看。我也给您推荐巴雍的《卢森堡天牛》和路克·朵但的《另一个欧洲——莫斯科及其信仰》,是一部令人钦佩的学术研究。

我已经尽力读过都德的《梦醒》,极尽夸张渲染之能事。不是哲学,而是一道复杂难消化的菜肴。

也请您读克蕾特的《白天的诞生》,很好看。

我要停笔,好去盘点我的汽油罐了。此外,一批要送往南方的邮件,已经呈报出去,我也在等着要去送。

我向您吻别,如我爱您那样。

尊敬您的儿子,安东

第七十八封

我的好妈妈，

现在这里到处都在寻寻觅觅，忙着找两班消失在撒哈拉沙漠不知道哪一个角落的邮递机。其中一班的机员遭到监禁。我五天以来都没下过飞机，和其他同事经历了许多精彩无比的事。

我飞快地向您吻别。我一个半月以后就会回法国。原谅我给您写的信这么短，我们真的忙得不可开交。

安东

第七十九封

我的好妈妈，

我们这一阵子做了好些了不起的事：搜寻失踪的同事、搭救飞机等等，我从来没有在撒哈拉沙漠如此频繁地降落和夜宿，也没有听过这么多子弹呼啸而过的声音。

我一直都希望九月能回去，可是有一个同事遭到监禁，我的义务是：他如果还有危险，我就必须留守。这样我或许还可以有一点作用。

但我偶尔会梦想着有桌巾、有水果、可以在椴树下散步的日子，身边有个妻子，和别人相见时，可以亲切地打招呼，而不是朝他们开枪，不用开着时速两百公里的飞机迷失在雾里，可以走在白石子路上，不要再看到无垠的沙漠。

这一切，是多么遥远！

我温柔地向您吻别，

安东

第八十封

我的好妈妈,

听说只要监禁了将近两个月的同事获得释放,我就可以回法国了。目前没有一点他们的消息,连他们是不是活着都不知道。而且现在撒哈拉的情势很乱,所有的游牧部落都在激烈交战。

当然,这跟圣莫里斯几乎一点也不像。

我过得不太坏,只是我要快快回艾克斯雷班或达克斯调养一下,最重要的是要再回到你们大家身边。我一个人孤独地生活了十一个月,就快要变成十足孤僻的人了。

我要停笔了,也衷心给你们大家吻别。也许九月初就真的可以见面了?

尊敬您的儿子,安东

另,希濛娜和蒂蒂应该要写信给我的。

第八十一封

朱比，一九二八年

我的好妈妈，

　　我过得还不错。您的来信教我很感动。

　　可惜我的同事一直都被监禁，恐怕至少还要协商十五天，要把我拖到九月底了。

　　然而我实在很想赶快回到你们身边⋯⋯

　　我向您吻别，如我爱您那样，

尊敬您的儿子，安东

第八十二封

朱比,一九二八年

我的好妈妈,

来和我交班的驾驶员,在飞行途中,飞机在摩尔人那里出故障了:我的运气不好。

这样一来,我至少还要再待三个星期。我多想再见到您,和您相拥,讨您小小的欢心。我也好想离开这永恒的沙漠!我现在一心只等着能离开。

我向您吻别,如我爱您那样。

安东

请注意:我这里什么都没有,不过您可以放心,等我回去,书也写好了。

第八十三封

我的好妈妈，

您决定要在亚贵等我，让我好开心，在圣莫里斯我会冻僵的。

我两周后就会跟你们在一起了。我打算十月二十一日星期天出发，在卡萨布兰卡花四五天添购衣服，因为我身边一件都没有了。

我在等公司的命令。

我觉得自己完全准备好要回家了，所以也寻不着什么可说的了……

我向你们大家吻别，用我所有的温柔。

安东

请注意：替我接班的人来了。

请注意二：要和你们大家团聚真是高兴。

请注意三：请代我向皮耶问候。

第八十四封

我亲爱的妈妈，

　　您太谦虚了。他们把所有提到您的报纸都寄给我了。我好高兴里昂市政府买了一幅您的画作，我的好妈妈真出名！

　　我们家的来头真不小。

　　我想您是有点高兴的，挚爱的妈妈，既为您的儿子高兴，也为您自己高兴！我三个星期后就能再见到您。这让我好开心。

　　您读过最有名的批评家艾德蒙·贾陆写的评论了吗？

　　如果您还有其他意见，请告诉我。

　　我打心里向您吻别，如我爱您那样。

您的儿子，安东

第八十五封

我的好妈妈，

　　您快递来的信叫我好感动。我只气自己都不知道要怎么写信了。

　　不过说真的，您评论我那本小书①的信，最能让我感动。我好渴望再见到您。一个月以后，等我写的书上了架，我们两个就可以一起去达克斯，我很需要休息。我现在既伤心又空虚。我到时候要给您看我刚开始写的小书。

　　布列斯特不怎么有意思。

　　要是我手边有四五千法郎，我就请您到布列斯特来看我。可是我现在手头只有欠债。我很想借钱，因为我相信我这本书会卖钱的，可是跟谁借呢？

　　总之，再过一个月我就要离开了。

　　我也想再回圣莫里斯看看我的老家，还有我的大口箱。说真的，在我的书里，有许多那里的回忆。

　　我的好妈妈，您怎么会问我您的信是否让我觉得无聊？只有您的信能真正触动我的心。

　　写信告诉我大家对我的书有什么看法。但是拜托不要把我的书给 X、Y 或其他愚蠢的人看。至少要懂季侯杜的东西，才看得懂我的书。

---

　　① 指《南方邮递》。

我温柔地向您吻别。

安东

请注意：您寄给我的那篇评论写得很差，还有其他写得比较好的。而且一本书出版以后，要等三个月，才会有好的评论出来。

第八十六封

我的好妈妈，

　　我动身了①。这将是一趟美好的旅程。从我出发以来，一秒都没得闲；我累坏了，很想休息。现在终于有时间了。

　　伽利玛出版社对我的书很满意，把校样空运过来给我，要我马上写下一本。

　　伊芳从叙特雷赶来跟我道别，她说所有文坛人士都在谈论我的书。

　　您将会收到一封从西班牙毕堡中途站寄出的长信（三四天后）。

　　我很温柔地向您吻别。这不是一封道别信，只是在到毕堡之前，给您写的一封短笺，跟我的好妈妈，诉说我的一切柔情，您也知道我的柔情有多深。

　　代我跟玛德阿姨和奶奶吻别。

　　代我跟蒂蒂吻别。

安东

----

　　① 一九二九年十月，安东动身前往布宜诺艾利斯。他后来被任命为空中邮递公司子公司"阿根廷空中邮递"的总经理。

第八十七封

我的好妈妈，

旅途很平安。我们和年轻的小姐玩猜字谜，或者装扮成不同的样子，或者编造一些文件。昨天我们玩捉迷藏和躲猫猫。我又回到十五岁。

要有很丰富的想像力，才能相信自己在船上。没有一点浪声，好像在油里航行。勉强听得到大风扇发出呼呼声，把风不停地吹向人的额头。

天气开始热了起来。我们在达卡停留五个小时。达卡满是往日的回忆。我写给您的信用空运，三四天内会到。

我的好妈妈，世界真小。到了达卡，我却觉得还在法国。大概是因为从土鲁斯到塞内加尔这一路上的一草一木，一石一丘，我都如数家珍，这条路上没有一块石头是我不曾看过的。

我们刚刚到达卡港口，别人就把您的信送到我手上，出乎我意料之外。我心里马上想：您是怎么想到这个好主意的。您真是位有创意的妈妈。

我还不觉得难过，不觉得相隔遥远，甚至不觉得离开家了。很难说是在旅行。没有晃动，没有声响，在交谊厅里，有妈妈们围坐在一起玩猜字游戏！这一切既没有异国风情也没有殖民地的气氛——达卡又热又湿的风除外。但这和偶尔天气闷热的圣莫里斯也差不多。

沿途一直有飞鱼和海鲨出没。年轻的小姐发出细小的叫声。然后玩猜字游戏，不是要猜鱼就是要猜鲨。

我要到陆地上去，把这封短笺拿到邮局去寄。我很温柔地和你们大家吻别。我多少把你们都带在身边。

　　不久之后，您将会收到一封寄自南美洲的信。我的好妈妈，这个地球真小，我们的距离从来不会太遥远。

　　我跟你们大家吻别，如我爱你们那样。

安东

第八十八封

布伊诺斯艾利斯，尊贵大饭店，一九二九年十月二十五日

我的好妈妈，

我刚刚终于知道我的工作了……

我被任命为空中邮递公司子公司"阿根廷空中邮递"的总经理（薪水约二十二万五千法郎）。我想您应该高兴才是，但我却有点难过。我挺喜欢自己以前的生活。

我觉得这样的工作让我变老了。

我以后只有在探测新航线时，才会开飞机。

我今天晚上才接到通知要担任新职，在这之前我没有想到要写信给您。我也赶时间，早在半小时前邮件就该寄出了。

请写信到我信上的地址（尊贵大饭店）给我，不要写到公司去。等我找到住的地方，再写信过来。

布宜诺斯艾利斯是个不讨人喜欢的城市，乏善可陈，资源短缺，一无所有。

我星期一要去智利的圣地亚哥，星期六再到巴塔哥尼亚高原的科莫多洛河谷。

我明天要给您寄一封长信，用海运。

我向你们大家吻别，如我爱你们一样。

安东

第八十九封

一九二九年十一月二十日

我的好妈妈，

日子就像歌曲里唱的一样，平凡宁静地过着。我这个星期去了巴塔哥尼亚高原上的科莫多洛河谷和巴拉圭的阿森逊。除此之外，我日子过得平静，并妥善地经营阿根廷空中邮递。

我对我现在的经济状况感到很满意，不知道您会有多高兴。您不觉得这是对您养育之恩的美好回报吗？别人曾多次责备过您。

二十九岁就当上一家大公司的领道人，真不错，不是吗？

我买了一层配有家具的小公寓，舒适宜人。地址是——一定要写到这里：乔恩姆楼，佛罗里达室，六〇五区，布宜诺艾利斯，德·圣——艾修伯里先生收。

我认识了一些有趣的人，他们是维勒莫瀚家的朋友（其中有两兄弟在南美），我一定可以再找到其他爱好音乐、文艺的朋友，聊慰我在撒哈拉和布宜诺艾利斯（另一种沙漠）的孤寂。

我的好妈妈，您写了一封那么温柔的信给我，到现在我还深深感动。我真希望有您在身边。也许几个月后就能实现？但要是您来了，我还真担心，因为布宜诺斯艾利斯是个很封闭的城市。您想想看，在阿根廷没有乡下。什么也没有。永远走不出城市。城外只有方方正正的农地，没有树木，农地中央有一间木板搭成的小屋和一座铁制的风车。飞机一连飞好几百公里，都只看得到这些景物。要画画，很难；要散步，也很难。

我也很想结婚。

濛濛呢？请告诉我大家的近况，也让我知道，别人都怎么说我的？对我的书又有什么评论？

我向你们吻别，如我爱你们那样。

安东

第九十封

布宜诺斯艾利斯

我的好妈妈,

　　您下星期将收到我电汇的七千法郎,其中五千法郎要还马襄,两千法郎是给您的。我十一月底开始每个月会汇三千法郎给您,本来是说两千法郎。

　　我考虑了很久。我希望您能到赫巴过冬,您可以在那儿画画,那里风景优美,您在赫巴会很快乐,可以画出许多好的作品。

　　我会帮您付旅费,一个月给您三千法郎的零用,我想这样您应该可以享享清福了。不过我不能就近照顾您,给您张罗日常所需。您要不要写信给多维内家,或者写信给有朋友在赫巴的友人?我不希望您到了那里一个人太孤单,不过我相信您在那里一定可以尝到完全的幸福。而且那里好美,再过两个月,就会花开处处。

　　您也可以到马拉开希稍微走走,写写生。不过我想赫巴会很适合您的。

　　总之,我不要去卡萨布兰卡。

　　这里是个景色黯淡的地方。不过我还是会四处走走。那天我到巴塔哥尼亚高原南部(科莫多洛河谷油井)去,在那里的河岸边发现成千上万的海豹。我们抓了一只小海豹,把它带上飞机。因为这边的南方,是天气寒冷的地方,从南方吹来的风,是冷风。越往南走,越觉得冷。

现在，布宜诺斯艾利斯的夏天到了，天气开始变热。

我的好妈妈，我温柔地向您吻别。

安东

第九十一封

布宜诺斯艾利斯

我的好妈妈，

我正在看《尘埃》，我想我们都喜欢这本书，就像喜欢《忠心仙女》那样，因为我们在书里都找得到自己。我们也会成群结党。往日儿时的回忆、当时发明的游戏，都比眼前的世界真实清晰，真令人慨叹。

今晚我不知怎地，突然想起了圣莫里斯的前厅。那时，晚饭过后，孩子们就坐在大口箱或皮沙发上，等待上床的时间。舅舅们在走廊上前后左右地踱步。光线不是很好，不时听到片句断语，神秘兮兮的。好像非洲内陆那样神秘。然后大人在客厅开始搭起牌局，上演桥牌的奥秘。我们就上床睡觉。

在勒芒那时，每当我们上床以后，偶尔您会在楼下唱歌。您的歌声传到我们房间时，听起来好像一场盛大庆祝晚会的余音——我那时是这么觉得。最"好"、最教人放心、也最忠心的，就是圣莫里斯楼上房间里的小暖炉，之前我从来没见过。我不曾对一样东西的存在那么放心。半夜醒来，总会听到暖炉有如空心陀螺般呼呼作响，又在墙上映出片片黑影。不知怎地教我联想到一只忠心的卷毛狗。有小暖炉保护，我们什么都不怕。有时您上楼来，打开房门，感觉我们身边都暖烘烘的，又听到小暖炉急急地响着，就下楼了……

我从来没有交过这样的朋友。

教我什么叫做浩瀚的，不是银河，不是飞行，也不是海洋，而是在您房里的另一张床。那时候要是生病了，真是大好的机会。每个人都想生一次病。只有感冒的人才能享有这片无尽的海洋。您房里也有燃烧着的壁炉。

教我什么叫做永恒的，是玛格丽特小姐。

从小我就不很确定是否经历过人生。

现在我在写一本有关夜间飞行的书。但更深入地看，这是一本描写夜晚的书。（都是纪录我晚上九点以后的飞行。）

以下是书的开头，是几桩最早对夜晚的记忆：

> 当夜降临时，我们在前厅沉思幻想。我们等着群灯经过：大人把灯放在有如花架的灯座上，每一盏灯都在墙上摇晃出状如棕榈叶一般的美丽影子，我们脑中开始幻想，然后大人把这一束光与影送进客厅。

> 就这样，我们的一天到此结束；我们被送上小床，向明天启程。

> 我的母亲啊，您向着我们俯下身来，我们正要进入梦乡，您让我们一路平安，不让我们的梦受一点惊扰；您抚平床单上的这道皱折，这片黑影，这股长浪……

> 您在床前的安抚一如天神的手指平息大海。

之后在飞机上穿越黑夜，就没有那么受到保护。

您无法清楚知道我对您的无限感激，还有您给我这个充满回忆的家，对我有多重要。我看起来好像一点感觉也没有。我想只是因为我太压抑自己了。

我很少写信，不是我的错。我大半的时间都不说话。我实在心有无奈。

我今天刚完成一趟两千五百公里的长途飞行。我从晚上十点太阳才下山的玛吉兰海峡附近往北飞回来。眼下尽是绿意，城市散布在草场上。有几个群聚瓦楞铁皮屋顶的奇特小城。因为天气寒冷，大家都围聚在火堆旁，有些人变得好亲切。

大海中，太阳逐渐褪色。非常美。

这个月，我会寄三千法郎给您。我想这样应该还可以。您大约会在十号或十五号收到……我一共寄给您一万法郎（加起来就有一万三）。可是您有没有收到，您收到了是不是高兴，我却一点也不知道。我很想在您收到的时候就能知道。

我很温柔地向您吻别。

安东

第四篇　蓝色时代

三十一岁至四十四岁的安东

一九三一年，邮政航空公司解散，安东失去了最热爱的飞行生活，经济开始陷入窘境，再加上他不久后又迎娶了奢华成性的康绥萝，于是便进入了他自称为"蓝色时期"的时代。

一九三五年，安东为了赢得一项航空奖金，试图做一趟从巴黎到西贡的长程飞行，却于中途坠落利比亚沙漠。这次的经验，让他构思了《小王子》一书的故事背景。

第二次世界大战初期，安东逃亡至美国，在备受孤寂折磨的状况下埋首于写作。这个时候，他还是不忘给母亲写信，对她诉说内心深处的烦忧。

第九十二封

布宜诺斯艾利斯，一九三〇年七月二十五日

我过得还不错。我开始筹组一部影片，很希望有一天能开拍。在等待的同时，我买了一台小摄影机，要为您纪录下几桩属于美洲的回忆。

我不久前去了智利的圣地亚哥，和那里的法国朋友相聚。智利真是个风景秀丽的国家，尤其是安地斯山脉，叫人叹为观止！我曾到过海拔六千五百米的高度，那时正好开始一场暴风雪。群峰落雪，势如火山岩浆奔流，那时我感觉整座山都要开始沸腾。这座壮丽的大山，高七千两百米（勃朗峰是小巫见大巫了），绵延两百公里，有如堡垒般高不可攀，至少今年冬天是这样（哎呀我们一直都是在冬天）；驾机飞在山峰之上，倍感孤寂。

我在这里渐渐找到了好朋友。但有时候还是会难过，因为我们相距总是那么遥远。只是如果我在法国，日子也不会好过……

我的好妈妈，请写信给我，要寄航空的；我一点都没有你们的消息。

我温柔地向您吻别。

安东

第九十三封

我的好妈妈,

　　我很抱歉让您难过了。可是我也很难过。您也知道我原来就有点习惯把自己当成你们大家的靠山。我本来想先帮助您,稍后再帮希濛娜,回家的时候能一家团圆。

　　虽然我在这个家的重要性已经大打折扣,但这丝毫不影响我的柔情。

　　我的柔情浩瀚,教我付出好些忧郁的代价,我无法只想着我的这块地方,而不深切渴望遥远的家乡。身在人群之中,毫不费力就能想起圣莫里斯椴树的气味,橱柜的味道,想起您的声音,想起在亚贵用的煤油灯。还会想起那些我发现于我内心越来越根深蒂固的一切。为了金钱也许不值得做这么大的牺牲。当我一想到濛濛离家追求这样的海市蜃楼,工作得不快乐,生活也无法顾全,我就觉得有点苦涩。暂时性的实习,日后可能调回,这一切都是说说而已。她到时候就知道自己跑也跑不了。光是她的习惯和需求就会将她捆绑。生活变得错综复杂。尤其,外国人会当你要留一辈子。

　　您说一切的行动都要明确。把玩乐和探索的机会留给亿万富翁吧。一般人动身到越南,是打算在那里定居的,尽管满是失望也认了。即使放假回法国来,却一天也弥补不了,因为假期结束,总还要再回去;您让她得的,是最严重的一种病。回去不是为了睽违的安适,而是由于时间催人,常令人心酸。生活选择了这条路。该走的时候就得走了。

　　我想过要让您来,后来心里很多挣扎,最后我连自己能不能留守此地等您前来都不确定。也许等我比较稳定的时候,您再来。

我写得少,没有时间,不过,我正缓慢进行的这本书,应该会是一本好书。

妈妈我向您吻别。我要告诉您:千万柔情,您的那份最珍贵,教人不如意时总想回到您的臂弯。我像孩子一样,常常要您在身边。您是安详的泉源,只要看到您的照片,就安心了,仿佛当年您给您的小娃儿们哺乳那样。

我想念我在圣莫里斯的大口箱和花园里的椴树。我跟每一个朋友说我们小时候玩的游戏,雨天时扮阿克林骑士,扮巫婆,演出这失传的神仙故事。

从自己的童年中放逐,真是一次滑稽的放逐。

我再次向您吻别。

安东

第九十四封

土鲁斯

我的好妈妈,

我要谢谢您如此细心地照料我那娇弱的太太①。以您的温柔,这我原来就料想得到。我其实很想去看你们,再把她带在我身边,可是我钱太少,要这么做太勉强:我给她拍电报,叫她来和我相聚。

我想,我们会一起去卡萨布兰卡住两个月。为了陪她调养身体,我暂时请调摩洛哥。她在那里会很开心的。我希望在她来之前,我的工作能比较顺利,如此我会趁送信到土鲁斯的当儿,顺道探望您。

我不会让您太孤单的,到时候蒂蒂也会在。我给她我的书,她连道谢也没有,这不太好吧! 您教她继续读下去了吗?

算是可怜我吧,请告诉我读过的人有什么看法:我还没有收到任何回音。

我的好妈妈,我要停笔了。清晨四点要启程送信。我该睡了! 我向您吻别,我爱您,对您的爱比您所想的还多很多。

安东

---

① 一九三一年,安东于亚贵迎娶在布宜诺斯艾利斯认识的康绥萝。但安东写给母亲的家书中,从未提起自己和妻子的相识过程。

第九十五封

开罗，一九三六年一月三日

我的好妈妈，

我读着您纸短情长的家书，哭了，因为我在沙漠里呼唤了您的名字。我对所有人的背离，曾经盛怒难却，他们竟无声无息，于是我呼唤着妈妈。

丢下如此需要我的康绥萝离开实在不应该。总觉得很需要回来给家人保护和照顾。我对着那阻碍我履行义务的沙漠，几近绝望之际，开始翻山越岭。其实我那时需要的是您。我要您的保护，您的照顾，我就像小小山羊那般极度自私地呼喊着您。

我回来有一点是为了康绥萝，但我是靠着妈妈您才回来的。纤弱如您，您简直就像守护天使，坚强、聪慧、盈满祝福；夜里一个人的时候，我都向您祈祷，您可知道？

安东

第九十六封

我的好妈妈，

　　我住在一个很舒适的农庄里。有三个小孩，两位老爷爷，几位姑姨舅叔。农庄里总用柴生着烈火，我从飞机上下来，都会去活动一下，因为我们都在离地面一万米的高空飞行，气温比平地冷五十度！不过我们穿得实在很多(三十公斤的衣服!)所以没有太受严寒之苦。

　　战事缓了下来。我们仍持续操练，不过是做步兵操练！皮耶一定在栽培葡萄树和照顾乳牛。这和铁路道口看守员或军营下士的工作一样重要。我觉得国家还会复员①更多人，让工业复苏。坐以待毙，毫无益处。

　　跟蒂蒂说偶尔捎封短信给我吧。我希望在两周内可以和你们大家见面。我会好高兴的！

您的安东

---

　　①　复员，即战后使动员的军队人员转入各行各业，恢复平民生活。

第九十七封

挚爱的妈妈,

我在膝头上给您写信,一边等空袭,刚刚有警报,炮弹还没下来。我想念您。

在这个世界上,大概没有——一定没有比蒂蒂、她的孩子和您更教我珍惜的了。我大概都是为了您而颤抖;这次从意大利来的连续攻击,让我很难过,因为这威胁到您的安全。我好忧虑。挚爱的妈妈,我的好妈妈,我永远需要您的温柔。为什么这世上我所爱的一切都要遭受威胁?比战争更教我害怕的,是未来。乡村残毁,家庭离散。是生是死,我并不在乎,可是我不要有人破坏心灵的归依。我好希望我们一家人能围坐在铺了白桌巾的餐桌前,欢乐团圆。

我不跟您多说我的日常生活,没有什么可说的,不过就是:出生入死的飞行任务,吃饭,睡觉罢了。我很不满足,我的心需要其他活动。我现在工作得很不开心。冒险犯难的生活,还不足以按捺我心中那份深重的自我意识。惟一能沁我心脾的清泉,是几桩童年的回忆:圣诞节晚上蜡烛的气味。今天如此荒芜的是灵魂,人们极度饥渴。

我可以写,我也有时间,但是我还不知道该怎么写,我的书在我脑子里还没有酝酿成熟。一本"给人止渴"的书。

再见了,我的好妈妈,我用我全身的力气将您紧拥在怀里。

您的安东

第九十八封

我的好妈妈，

虽然我的信弄丢了，很是难过，我还是给您写信了。我之前病得很严重（发高烧，不太清楚原因），不过现在好了，已经回中队了。

如果没有我的消息，不要生我的气，我不是真的没有给你们消息，其实我曾写信，而且我生病的时候很痛苦。挚爱的妈妈，您要知道，我是温柔地爱着您的，我的心总是惦着您，我还在为您操心。无论如何，我最盼望的，就是我的家人都能平安。

妈妈，未来战事、危险和威胁越严重，我心中对要依靠我的人，忧虑就越深。可怜的小康绥萝，孤零零的一个人，教我无限怜悯。如果她哪一天避难到了南方，妈妈，请让她住下，像待您女儿那样待她，就当是为了爱我吧。

我的好妈妈，您的信教我好难过，都是些责备的话，我只要您给我无尽温柔的信息。

你们大家在那边有什么需要吗？我可以尽我所能，为你们达成心愿。

妈妈，我向您吻别，我爱您，无止无尽。

您的安东

空军三十三之二中队

邮递区号八九七

第九十九封

一九四三年

亲爱的妈妈,蒂蒂,皮耶,

你们每一个我都打心里头爱着的,你们现在在做什么? 你们好不好? 你们怎么生活? 你们心里有什么思念? 这个漫长的冬天,叫人好忧伤,好忧伤。

但我是多么希望几个月后能回到您的臂弯,我的好妈妈,我的老妈妈,我温柔的妈妈,在您燃烧着的壁炉角落,跟您述说我所有的想法,和您彼此讨论,尽可能不顶嘴……听您给我说的话;您对生活中每一件事的看法,最后总是对的……

我的好妈妈,我爱您。

安东

第一百封

我的好妈妈，

　　我真希望让您对我放心，希望您能收到我的信。我很好。非常好。但是这么久没有再见到您，教我好难过。而且我还担心着您，我亲爱的好妈妈，老妈妈。这一阵子真教人痛苦。

　　蒂蒂的房子没了，我真心痛。啊，妈妈，我真希望能够帮她！但愿她能好好地放心，把未来交给我。我们什么时候才能对所爱的人说我们爱他们呢？

　　妈妈，和我吻别吧，像我打心里和您吻别那样。

安东

一九四四年七月三十一日早上八点四十五分，
安东从法国科西嘉岛出发，执行一项飞行任务。
返航途中，飞机不幸遭德军击落，从此人、机消失无踪。
此后数十年以来，未曾有人找到飞机残骸及他的尸骨。
直到一九九八年十月，一位渔夫发现刻有"圣修"二字以及纽约
地址的手链。
二〇〇〇年五月，潜水夫在马赛七十米深的外海发现P38飞机
的一块残骸。
二〇〇四年初在同一水域，打捞出更多残骸，并拼凑出机身上
的2734L代号。

中法人名对照表(依首字笔画排序)：

小蒂：
全名为嘉碧耶勒·德·圣埃克苏佩里(Gabrielle de Saint-Exupéry)，是安东的妹妹，小名为小蒂，蒂蒂。

方索：
全名为方索·德·圣埃克苏佩里(François de Saint-Exupéry)，安东的弟弟。

厄玛努舅舅：
全名为厄玛努·德·丰斯戈隆(Emmanuel de Fonscolombe)，是安东的舅舅，也是码头堡的主人。

伊芳：
全名为伊芳·德·雷斯腾吉(Yvonne de Lestrange)，为安东母亲的表姐妹，和安东往来密切。安东后来在她的宅邸，结识了许多"新法文杂志"及文学界的重要人物，纪德(Gide)即为其中之一。

皮耶·德·亚贵
(Pierre d'Agay)：是安东小妹嘉碧耶勒的夫婿。

米玛：
全名为玛莉—玛德莲·德·圣埃克苏佩里(Marie-Madeleine de Saint-Exupéry)，是安东的大姐，小名米玛，一九二六年因病逝世。

杜白姨夫：

全名为厄简・杜白(Engène Dubern)，娶安东母亲的堂姐妹芳索丝・德・丰斯戈隆为妻，因此他是安东的姨夫。

沙列斯：

全名为夏赫勒・沙列斯(Charles Sallès)，是安东在富希堡圣若望中学的同学，亦是其挚友之一。

余贝舅舅：

全名为余贝・德・丰斯戈隆(Hubert de Fonscolombe)，安东的舅舅。

辛纳狄一家

(Les Sinaty)：是圣埃克苏佩里家的世交。

佐登夫人

(Madame de Jordan)：是安东母亲的朋友。安东在巴黎圣路易中学念书时，每星期她都会邀请他到她家，提供他一些修身养性的教导。

阿娜伊丝姑妈：

全名为阿娜伊丝・德・圣埃克苏佩里(Anais de Saint-Exupéry)，安东的姑姑。

阿丽克丝姑妈：

全名为阿丽克丝・德・圣埃克苏佩里(Alix de Saint-Exupéry)，安东的姑姑。

柯洛先生

(Monsieur Corot)：数学老师，负责教授海军学校的预备课程。

玻海勒

(Borel)：安东妹夫皮耶·德·亚贵的朋友。

洛荷婶婶

(Tante Laure)：安东叔父的遗孀。

马克·沙布杭

(Marc Sabran)：德·圣埃克苏佩里家在里昂的朋友。

莫里斯舅舅：

全名为莫里斯·德·雷斯腾吉(Maurice de Lestrange)，是安东母亲的表兄。

杰尼耶斯

(Geniès)：医师，经常给安东提供建议，对他的写作风格有重要影响。

贾克舅舅：

全名为贾克·德·丰斯戈隆(Jacques de Fonscolombe)，是安东母亲的小弟。

路易·德·彭维

(Louis de Bonnevie)：与安东同为圣若望中学的寄宿生，亦是安东的密友。

煦度院长

(L'abée Sudour)：波苏威学校校长。

雷晶娜：

全名为雷晶娜·德·彭维(Régine de Bonnevie)，路易·德·彭维的姐妹。

蒙东夫人

(Madame de Menthon)：安东母亲的朋友。两家的孩子经常来往。

蒙唐东

(Les Montandon)：圣埃克苏佩里家的姻亲。

玛利亚—德兰：

全名为玛利亚—德兰·佐登(Marie-Thérèse Jordan)，佐登将军之女，一九一七年十一月二十九日与尚·德尼结婚。

玛利亚·德·圣埃克苏佩里：

(Marie de Saint-Exupéry)，安东的母亲。

玛吉(Moisi)：

安东的家庭教师。

玛德阿姨

(Tante Mad)：全名为玛德莲·德·丰斯戈隆(Madeleine de Fonscolombe)，安东母亲的姐妹。

濛濛：

全名为希濛娜·德·圣埃克苏佩里(Simone de Saint-Exupéry)，是安东的姐姐，小名濛濛。

谢耿：

全名为昂希·德·谢耿(Henri de Ségogne)，安东一九一七年于波苏埃认识的好朋友。

丰斯戈隆外叔婆

(Baronne de Fonscolombe)：费南·德·丰斯戈隆男爵夫人，是安东的外叔婆，常在巴黎的宅邸招待他。

罗丝姨妈：

全名为罗丝·喀维耶(Rose Cravier)，是安东母亲的表姐妹，嫁给吉约姆·德·雷斯腾吉伯爵。

初雨。

睡午觉的时候，一条小溪流过鼻梢。

外面，天空翻腾出一块块的大云朵；

临时搭建的木屋被风吹开，

发出海船般的呜咽……

天气阴沉灰暗。

现在夜景凄凉，全巴黎都泛着蓝光……

电车的灯光是蓝色的，

圣路易中学走道上的光线也是蓝的……

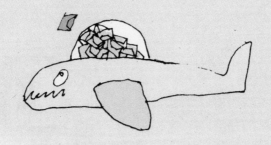

亲爱的妈妈，
如果在这里收到您寄来的只字片语，
会让我觉得很亲切，我的好妈妈，
只因为您是我心中无尽的温柔。

妈妈，您不要以为我有着克服不了的忧伤。
每当我打开房门，丢开帽子，
觉得一天就在指缝中溜过的那一刻，
总有同样的心情。